We moeten nog een lied

Berk, Koets en Slot

We moeten nog een lied

Zelfhulpgids voor bruiloftsgasten en andere feestgangers

Uitgeverij De Arbeiderspers
Amsterdam • Antwerpen

Omslagontwerp: Nico Richter
Omslagbeeld: Shutterstock
Binnenwerk: Bram van Baal

ISBN 978 90 295 7605 5/NUR 300

www.arbeiderspers.nl

Inhoud

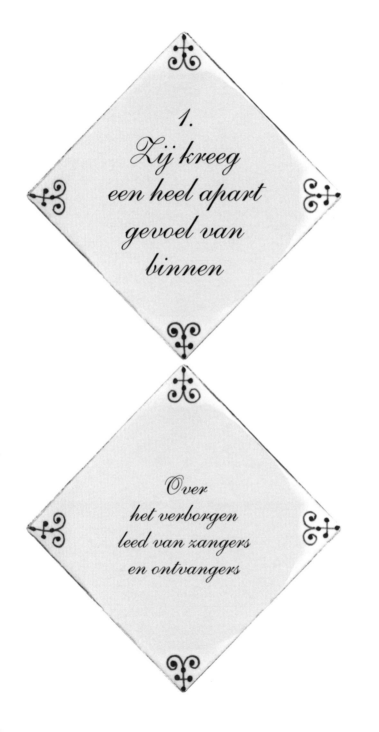

1.
Zij kreeg
een heel apart
gevoel van
binnen

Over
het verborgen
leed van zangers
en ontvangers

Een Nederlands natuurverschijnsel

'Als mijn familie maar geen lied gaat zingen…' Aldus Willemein K. uit Druten, op een website waar aanstaande bruiden van gedachten wisselen over een toptien van wat het meest te vrezen valt op je eigen bruiloft. Op nummer één staat: de hele dag regen. De angst voor zingend optredende familieleden komt op nummer twee.

Dat is opmerkelijk. Nog opmerkelijker is dat regenbuien en bruiloftsliederen door Willemein en andere bruiden als een natuurverschijnsel worden gezien: het kan je zo maar overkomen. De angst voor hemelwater blijkt daarbij overdreven groot, want de kans op een totaal verregende trouwdag is vrij klein, zelfs in Nederland. Veel meer valt er te vrezen van een muzikaal intermezzo verzorgd door familie en vrienden. Want de kans om op bruiloften en partijen met een lied geconfronteerd te worden is erg groot, *juist* in Nederland.

Het gaat hier namelijk om een loepzuiver Hollands fenomeen. De maar half geslaagde kwinkslag van de ambtenaar of geestelijke die het huwelijk voltrekt, het aansnijden van de taart, een toespraakje: dat doen ze overal. Maar in een clubje het paar toezingen met een zelf gemaakt liedje op een bekende melodie: dat zie je alleen bij ons.

En we doen dit zeker niet alleen bij huwelijken. Ook op promoties, jubilea en inauguraties, bij het afscheid van collega's en bij het vijfentwintig of zelfs vijftig jaar standhouden van een huwelijk zingen wij de gelukkigen graag toe, op een bekende melodie, met een zelf bij elkaar gerijmde tekst. Het mag een wonder heten dat we ons alleen op begrafenissen en crematies weten in te houden, en ons daar beperken tot een praatje of – dat dan weer wel – een zelfgeschreven gedicht.

Hoe vaak moeten wij een lied?

Ook zonder harde cijfers is duidelijk dat elke Nederlander in zijn leven geregeld een lied moet aanhoren of uitvoeren. Neem alleen al de bruiloftsmarkt. In ons land worden jaarlijks 72.000 huwelijken gesloten – dat zijn er zo'n 1400 per week. Veel van die huwelijken gaan gepaard met meerdere optredens door vrienden en familieleden. Tel daar de zilveren en gouden bruiloften bij op, vermeerder het geheel met de afscheidsrecepties van collega's (jubilea worden steeds schaarser in een flexibele arbeidsmarkt), vergeet ook niet de afstudeer- en promotiefeesten die horen bij een steeds hoger opgeleide bevolking, en neem tot slot het enorme aantal hoge leeftijden met ronde getallen dat ons in de vergrijzing te wachten staat, en wij weten het zeker: 4,3 uitgevoerde liederen per gemiddeld leven is een uiterst conservatieve schatting.

Van gênante vertoning naar wereldact

Zo onvermijdelijk als af en toe een regenbui, zo onvermijdelijk is het dus dat wij als Nederlanders eens in de zoveel tijd te maken krijgen met een feestlied. De ene keer worden wij zelf toegezongen door een koor strak op hun blaadjes kijkende familieleden. De andere keer zitten we aan de bar en vangen iets op over de oude vlammen van de bruidegom of blunders van onze vertrekkende collega. En bij een volgende gelegenheid voelen we ons zelf verplicht om op te treden met een gelegenheidslied.

Voor die laatste gevallen is deze zelfhulpgids bedoeld. Onze missie is ambitieus: een einde maken aan het grootste leed. Het bruiloftslied moet uit de toptien van angstvisioenen voor de huwelijksdag, en feestliederen moeten weer een feestelijk karakter krijgen. We beseffen dat dit niet mee zal vallen. Net zoals een cadeautafel kan uitpuilen van de verkeerde geschenken, kunnen ook de liedjes op een feest de plank flink misslaan. In het gunstigste geval denkt iedereen dat het tenminste goedbedoeld was. In het slechtste geval bestaat zelfs daarover twijfel.

De top 5 van faalfactoren

In theorie vindt iedereen het prachtig, zo'n zelfgemaakt lied. Het is een leuke geste en getuigt van inzet. Maar de praktijk is weerbarstiger. Faalfactoren te over, maar deze vijf zorgen voor de meeste ellende:

1. Over pijnlijke onderwerpen zingen

Je zou denken dat het logisch is om niet te zingen over de ex die nog steeds 's nachts opbelt en dan zonder iets te zeggen neerlegt. Maar niets blijkt minder waar. Menig feest wordt vergald door een lied dat vrolijk de meest pijnlijke onderwerpen aansnijdt.

2. Slecht voorbereid zingen

Klungelen is niet charmant. Toch lijken veel feestzangers te denken dat ongelijk en onverstaanbaar zingen, liefst ook nog in een grote kudde (alle collega's wilden meedoen om hun betrokkenheid te tonen), niet erg is. De bedoeling is toch goed?

3. Met microfoon zingen

Nou ja, als we niet verstaanbaar kunnen zingen, dan zingen we gewoon wat harder, en dus met microfoon. Als ze het dàn nog niet begrijpen! Ook dit is een misvatting die voor veel ellende zorgt. Het gebruik van een microfoon is namelijk een vak apart. Het staat wel echt, maar kan knap beroerd klinken.

4. Tekst op papier uitdelen

En als we dan toch staan te klungelen, geven we iedereen de tekst gewoon op een A4tje, dan zien ze tenminste hoe leuk we kunnen rijmen. Gevolg: het publiek gaat zitten lezen in plaats van luisteren, en kent de clou aan het eind al lang voordat de zangers daar zelf zijn aanbeland.

5. Langer dan drie minuten zingen

Eenmaal bezig met rijmen beginnen de makers van een feestlied er vaak flink schik in te krijgen, met als gevolg een eindeloze reeks coupletten. Niet doen: de beste professionele liedjes duren vaak maar een minuut of drie, hooguit vier. Ga daar als amateur dus zeker niet overheen. Zorg ook dat de zangers snel op hun plaats staan, want eindeloos gestommel op het podium is oersaai.

Het is niet verwonderlijk dat het zo gaat. 'We moeten nog een lied,' zegt iemand. De aanwezigen knikken, en opeens is het een voldongen feit: er moet gezongen worden. Alles wat te binnen wil schieten over het bruidspaar of de collega die weggaat wordt bij elkaar gerijmd, een liedje van Frans Bauer eronder, geen tijd meer om te oefenen, en dan optreden terwijl alle gasten al beschonken zijn. Tot overmaat van ramp wordt de melodie per ongeluk te hoog ingezet, zodat geen van de zangers de topnoten nog haalt.

Maar het kan ook anders. Een gênante vertoning kan met eenvoudige middelen veranderen in een wereldact – tenminste in de wereld van het feestlied. Wie de tips uit deze zelfhulpgids ter harte neemt, zal merken dat dit verplichte nummer veel creatief plezier kan geven – eerst voor de makers, en daarna ook voor de toegezongene en de gasten. En voor wie weinig tijd heeft en onze wijze lessen aan zich voorbij wil laten gaan, staan verspreid door dit boek tal van kant-en-klare liedideeën.

Even beroemd

Het is in onze beschaving tot de universele rechten van de mens gaan behoren om even beroemd te mogen zijn. En daarvoor moet je de kansen grijpen die je geboden worden, want niet iedereen heeft zin in een talentenshow op tv. Veel moderne bruidsparen dwingen hun gasten daarom te luisteren naar een zelf uitgevoerd lied. Doorgaans nemen zij daarbij niet de moeite om een nieuwe tekst te schrijven, maar zingen verbatim nummers als 'Endless Love' of 'The Power of Love'. Of – een beetje vreemd – ze vragen om elkaars angst, en geven er hoop voor terug. Wij beperken ons in dit boek tot de creatieve gelegenheidsliederen, en onthouden ons van commentaar.

Nou ja, toch nog even dit: heb erbarmen en bedenk dat je gasten machteloos zijn – zij moeten luisteren en bewonderend kijken, ook als de uitvoering te wensen overlaat. Als wraak voor de liederen van vrienden en familie is dit middel wel weer zeer geschikt.

We moeten nog een lied – of niet?!

*R*egen is een natuurverschijnsel, een feestlied allerminst. We ervaren het misschien niet altijd zo, maar er zijn wel degelijk keuzes. Feestvierders kunnen vooraf natuurlijk aangeven dat zij geen prijs stellen op sketches en liedjes. Dat mag, maar in het kader van deze zelfhulpgids zijn wij daar uiteraard geen voorstander van.

Wat ons betreft zijn het vooral de zangers die zich vooraf een paar dingen af moeten vragen. Is er alleen een gevoel van verplichting? Heeft niemand tijd om te oefenen? Wil je vooral zelf in de aandacht staan? Wordt er tijdens de voorbereiding altijd veel gelachen, maar is de uitkomst een tekst van Marco Borsato waarin maar drie woorden zijn gewijzigd of – nog erger – komt men steevast op de proppen met een lied vol zaken die het feestvarken liever zou vergeten? Dan niet doen.

Kortom: doe alleen een lied als je er werkelijk iets van kunt maken. Het gebaar op zich is echt niet voldoende. Met een slecht lied zeg je zoiets als: 'Wij hadden het gevoel dat we iets moesten doen, maar zijn net iets te lui, druk of dom om een lied uit te voeren waar jullie werkelijk plezier aan kunnen beleven.' Zo'n optreden geeft het bruidspaar of de vertrekkende collega een heel apart gevoel van binnen, om met de legendarische Corry Konings te spreken – in dit geval een mengeling van gêne en ongeduld.

Nee, dan een geslaagd lied. Daarmee zeg je zoiets als: 'Wij vinden jou/jullie leuk, aardig, sympathiek of anderszins de moeite waard. Het bewijs leveren we er meteen bij: hoe druk wij het ook hebben, we hebben toch maar mooi dit geestige en niet onverdienstelijk uitgevoerde lied in elkaar gezet!' De ontvangers voelen zich gestreeld en zijn zelfs trots: 'Kijk eens wat dit groepje allemaal in huis heeft. En dat zijn ónze vrienden!'

Het feestlied als gewaardeerd cadeau

De tips in deze zelfhulpgids zijn allemaal gebaseerd op één onwrikbaar uitgangspunt: een feestlied is niets minder dan een cadeau. Daarbij gelden dezelfde regels als bij het ronddelen van tastbare geschenken: de ontvanger staat centraal. Vreemd genoeg ligt dit minder voor de hand dan je zou denken.

Zo dus niet

Maar ook met iets minder grote memmen,
wist zij haar Gert-Jan te temmen

Moet ook de nieuwe leidinggevende van de bruid weten dat zij drie jaar geleden een borstverkleining heeft
ondergaan? Wij menen van niet. En hoort het woord
'memmen' wel te vallen op een bruiloft? Ook daarvan
zeggen wij: niet doen.

Kleine kinderen, dat is bekend, snappen het cadeau-
principe nog niet goed. Die zoeken vooral uit wat ze
zelf het allerliefste zouden krijgen. Dat grote mensen
vaak net zozeer met zichzelf bezig zijn, is echter ronduit ernstig te noemen. Een bruiloft, huldiging of afscheid is geen goede gelegenheid om oude wonden
open te rijten, openstaande rekeningen te vereffe-
nen, of om het bruidspaar of de jubilaris gewoonweg
af te zeiken. En toch gebeurt dat.

Kijkplezier

Iedereen kan zich waarschijnlijk wel wat minder geslaagde liedjes op feesten herinneren. Maar voor wie niet gelooft dat het zo ernstig is als wij beweren: pak een gemakkelijke stoel, ga naar YouTube en tik bijvoorbeeld de zoektermen 'bruiloft' en 'lied' in. En wie er nog steeds van overtuigd moet worden dat drank meer kapot maakt dan je lief is: typ 'liedje', 'Roel' en 'bruiloft' in. Na dat alles is de conclusie onontkoombaar: dat moet beter kunnen!

Wij vermoeden dat deze verregaande onattentheid te verklaren is doordat niemand tijdens de voorbereiding de hamvraag heeft gesteld: 'Is dit nu echt een leuk cadeau voor Agnes en Marc? Of moeten we maar toegeven dat het vooral leuk is voor onszelf?' Voorkom dus dat het optreden uitdraait op een langgerekte egotrip. Het gaat er allereerst om dat de ontvangers aangenaam verrast worden, en daarna dat ook de andere feestgangers er plezier aan beleven. Op de laatste plaats komt pas je eigen wens om nu eindelijk eens te laten horen hoe prachtig je kunt zingen.

De Besliskwis

Hoe weet je of je een lied moet maken of dat misschien beter maar kunt laten? Beantwoord de volgende vijf vragen, bepaal je score, en je krijgt het antwoord.

1. *Wat zijn de gevolgen als je geen lied doet?*
a. Iedereen is opgelucht.
b. Het wordt je nooit vergeven.
c. De feestvierders zijn licht teleurgesteld, de rest kan het niet schelen.

2. *Hoeveel muzikaal talent is er voorradig?*
a. Wij kunnen best wel wat, al zeg ik het zelf.
b. Het belang van zuiver zingen wordt schromelijk overschat.
c. Iedereen in onze kring heeft het conservatorium doorlopen.

3. *Is er een capabele voortrekker beschikbaar?*
a. Ja, ik heb er echt weer zin in.
b. Het moet toch mogelijk zijn om een uurtje vrij te maken?
c. Helaas, oom Joop is er niet meer.

4. *Wat wil je bereiken met het feestlied?*
a. Men moet nu maar eens beseffen dat ik erg mooi kan zingen.
b. Wij hebben nog een appeltje met elkaar te schillen, vriend!
c. Ik hoop dat het feestvarken er nog lang met plezier aan terug zal denken.

5. Kan er geoefend worden?

a. Het optreden zelf is de beste oefensessie, toch?

b. Misschien dat we vooraf even in de garderobe bij elkaar kunnen komen.

c. Ja, want ik besef dondersgoed dat het zonder oefenen geen enkele zin heeft en het optreden een klungelige vertoning zal worden, omdat gelijk zingen nu eenmaal niet vanzelf gaat en geen enkele succesvolle act ooit zonder oefening is ontstaan.

Scores

5a: 0; 5b: 2; 5c: 5

4a: 0; 4b: 0; 4c: 5

3a: 5; 3b: 2; 3c: 0

2a: 2; 2b: 0; 2c: 5

1a: 0; 1b: 5; 1c: 2

Ons advies

0-8 **punten**: Het is voor alles en iedereen beter om er vanaf te zien.

9-20 **punten**: Prima hoor, dat je een feestlied wilt maken, maar lees wel eerst dit boek van a tot z .

21-25 **punten**: Doen! Volg dan ook nog onze tips en het wordt een optreden waar nog lang over gesproken zal worden.

Hoe zorg je ervoor dat het feestlied een geslaagd cadeau wordt? Wat moet je doen, wat moet je laten? Daarvoor geven wij in deze zelfhulpgids handzame tips. Niemand hoeft op zangles, wekenlang oefenen is niet nodig: het is tenslotte geen uitvoering in het Muziektheater. Wel bieden we aanknopingspunten om je bijdrage aan het feest royaal boven het gemiddelde niveau uit te tillen. Dat is gelukkig ook niet zo moeilijk, want dat niveau ligt nogal laag. Het mooie is dat er daardoor volop mogelijkheden zijn om met simpele ingrepen het feestlied een forse kwaliteitsimpuls te geven. Bovendien staat dit boek vol met voorbeelden die zich uitstekend lenen voor creatief jatwerk. Bijna alle basisliederen die we hebben gebruikt zullen voor veel mensen onmiddellijk bekend zijn. Maar wie zo af en toe een lied niet kent, vindt door simpelweg intypen van de titel in een zoekmachine talloze uitvoeringen. Ook originele teksten en akkoorden zijn op die manier eenvoudig te achterhalen.

2.

Zij is gestopt met roken en kan ook heel goed koken

Over creatieve ideeën voor de inhoud

Kies een thema en gevoel

*A*ls er geen dringende redenen zijn om af te zien van een gezongen geschenk, dan is de eerste stap om te bedenken waar het lied over zou moeten gaan. Voor velen begint daar de ellende. Dat is in de uitvoering vaak ook goed te merken, want op menig feest wordt men vergast op een lied zonder enige samenhang. De beoogde zangers zijn bij elkaar gaan zitten en hebben uit de losse pols geroepen wat hen te binnen schiet als ze denken aan de bruidegom of aan de vertrekkende collega. John houdt van volleyballen en hij heeft een snelle auto. En o ja, op de HAVO liepen alle meisjes met hem weg, en toen hij vorig jaar zelf de nieuwe badkamer plaatste vielen na een dag de voegen weer tussen de tegels uit.

Dat is allemaal heel leuk, maar als zo'n ADHD-achtige brainstormsessie het uitgangspunt vormt voor een lied, dan krijgen we al snel regels als 'Zij is gestopt met roken, en kan ook heel goed koken'. Er zal geen woord van gelogen zijn, maar is het boeiend?

Moet dat nou, oefenen?

Op menig feest wordt het feestlied aangekondigd met een on-gegeneerd: 'We hebben helaas niet kunnen oefenen!' Dat is een slechte opwarmer. Stel je voor dat een artiest of spreker op een congres uit hetzelfde vaatje zou tappen: 'Beste mensen, ik ga nu tien minuten van jullie tijd vragen, maar ik vond het te veel gedoe om vooraf te oefenen.' Net als elk ander optreden in het openbaar, vereist ook een feestlied dat er vooraf geoefend wordt. Blaas het project af als je het al niet voor elkaar kunt krijgen om de zangersclub vooraf ten minste één keer bijeen te brengen.

Het lied krijgt meteen focus als je met elkaar één thema kunt bedenken. Dus geen ABC-tje op muziek, maar een ferme keuze maken! Gestopt met roken? Dan niet ook dat lekkere koken. Populair bij de meisjes? Dan geen weerbarstige badkamervoegen erbij. Zelfs liederen van André Hazes vertonen samenhang, zij het niet altijd op zinsniveau ('Zag jij niet aan de muur van je vriend zijn trouwportret?'). En de meest succesvolle songs van André van Duin zijn thematisch zelfs monomaan te noemen ('M'n kammetje is zoek', 'Er staat een paard in de gang', ''k Heb hele grote bloemkolen').

Zo dus niet

Jaap was bevriend met Maaikes broertje Henk.
Al gauw keek hij naar zusjelief als was zij een geschenk.
Hij sleepte haar toen gretig uit het boerenbuurtje weg.
Zijn ouders hadden ruimte zat en hij had zelden pech.

*Duidelijk geval van rijmdwang, met als gevolg een tekst die alle
kanten op gaat. 'Als was zij een geschenk' staat er alleen maar
omdat dat rijmt op Henk, inhoudelijk voegt het niets toe. En 'hij
had zelden pech' is hier vast terecht gekomen omdat het rijmt op
'weg'. Inhoudelijk is het verband in elk geval ver te zoeken.*

Een goed lied gaat niet alleen over één onderwerp, maar geeft ook uitdrukking aan een gevoel. Neem een jubilerende vriend die recent het golfen als sport heeft ontdekt. De nieuwe hobby kan gemakkelijk als thema dienen, maar dat is niet genoeg. Er hoort ook een mening bij: wat vínden de zangers van deze drastische wending? Voelen ze zich licht verraden, omdat ze als studenten in Nijmegen golfers altijd juist uitlachten om hun rare geruite broeken? Of zijn ze juist blij dat hun vriend na jaren van redeloze rebellie eindelijk doorheeft wat een geweldig spel het is?

Welke gevoelens zijn toegestaan?

Negatieve gevoelens zijn wel toegestaan, maar alleen in een light versie. Verbazing, lichte irritatie, bewondering, lichte jaloezie, lichte bezorgdheid, blijdschap, lichte droefenis: die mogen. Maar de meest intense menselijke gevoelens, zoals woede, chronisch chagrijn of brandende lust, hebben in een feestlied niets te zoeken. Het moet wel leuk blijven.

Liedidee 1: *zingen over verschillen en overeenkomsten*

Een prima thema zijn natuurlijk de feestvarkens zelf. Om hen is het immers allemaal begonnen. In het geval van een bruidspaar, kersvers of van goud, kunnen bijvoorbeeld verschillen in kaart worden gebracht. Maak een lijst van aansprekende contrasten: zij handig/hij onhandig, zij vegetariër/hij carnivoor, zij zonaanbidder/hij langlaufheld: zulke dingen. Ook hier regeert vanzelfsprekend weer de goede smaak. De ene bruidegom slim, zijn echtgenoot een leeghoofd? Die maar liever niet.

Bij die verschillen hoort ook een gevoel. Wat vinden de liedjesschrijvers eigenlijk van het contrastrijke stel? Misschien bekijken ze het paar geamuseerd, of juist met een plagende bezorgdheid (zal dat op den duur wel goed gaan?). Let wel: als er werkelijk grote vragen zijn over de wijsheid van een alliantie, dan kan men die beter niet stellen.

Evenzeer nuttig als thema voor een lied zijn overeenkomsten. Zo zijn er gouden bruidsparen die alles samen doen en die ook nog eens beschikken over elk consumptieartikel dat in *his* and *hers*-edities op de markt is gebracht (fietsen, wastafels, trainings- en regenpakken, wandelschoenen, auto's). Daar kan bijvoorbeeld met milde irritatie en liefdevol begrip naar gekeken worden: zo gaat dat nu eenmaal als je lang getrouwd bent.

De niet-langer-dan-drie-minuten-regel

Liedjes op de radio en op het Songfestival duren altijd slechts een minuut of drie. Dat is natuurlijk niet voor niets zo. Professionele artiesten weten dat het lastig is de aandacht van het publiek langer vast te houden. Des te opmerkelijker is dat niet-professionele zangers tijdens bruiloften niet terugdeinzen voor liederen die vele minuten in beslag nemen (de lange en vaak melige introductie niet meegerekend). Timen dus, en dan schrappen. Negen van de tien keer is het de beste oplossing om coupletten te deleten of samen te voegen. Bezuinigen op het aantal malen dat het refrein weerklinkt scheelt vaak ook een stuk.

Liedidee 2: *zingen over karakter-eigenschappen*

Kun je inzoomen op één persoon, dan zijn er natuurlijk tal van karaktereigenschappen te bedenken die zich goed lenen voor een lied. Heeft de scheidende collega er een handje van om buitenissige projecten te bedenken die hij vervolgens nooit afmaakt? Maak daar een thema van, verzamel de leukste voorbeelden, en dichten maar. Is de vriendin altijd benijdenswaardig opgewekt, ook bij tegenslag? Bezing haar endorfine. Is vader nog steeds overbezorgd, ook nu de kinderen zelf al vijftig zijn? Maak in elk couplet een opsomming van de vragen waarmee hij hen zoal bestookt ('Heb je wel een hemd aan?/Ga je niet in de tocht staan?'), en bedank hem in het refrein voor zijn betrokkenheid.

De kwestie Fleur

Aanleiding: *Fleur wordt veertig en viert dit met een etentje voor vrienden, in een speciaal daarvoor afgehuurd restaurant.*

Thema: *Drie van Fleurs vriendinnen gaan al vijftien jaar elke maand met haar uit eten, en verbazen zich er dan altijd over dat Fleur zonder uitzondering saté bestelt, hoe aanlokkelijk de andere keuzes ook zijn. Het lied moet op een vrolijke en herkenbare manier de draak steken met deze gewoonte. Met het restaurant waar de verjaardag wordt gevierd kan afgesproken worden dat Fleur als hoofdgerecht saté krijgt voorgezet, ook al heeft ze dit keer met pijn in het hart voor de zalm gekozen.*

Basislied: *'Ik vind saté nu eenmaal lekker,' heeft Fleur al vaak uitgelegd. Van die zin gaan de gedachten meteen naar 'That's the Way I Like It' van K.C. and the Sunshine Band, waarin ook een sterke voorkeur centraal staat. Het is een vrolijk lied, dat met zijn* aha aha's *bovendien kansen biedt voor geinige achtergrondkoortjes en publieksparticipatie.*

SATÉ

Entrecote met roquefort
Of tongfilet met zontomaat.
Paprika, geroosterd en gevuld,
Wat maken wij vandaag soldaat?

Nee, ik neem toch lekker de saté weer, aha aha
Nee, ik neem toch lekker de saté weer, aha aha.

Botervis, met sla en brood,
Of biefstuk, zo van de haas.
Vangst van de dag, echt net pas dood
Of een quiche met spekjes en met kaas.

Nee, ik neem toch lekker de saté weer, aha aha
Nee, ik neem toch lekker de saté weer, aha aha.

De kok beveelt vanavond aan:
Een risotto met parmezaan.
Ook heeft hij een paella staan,
Met alles erop en ook eraan.

Nee, ik neem toch lekker de saté weer, aha aha
Nee, ik neem toch lekker de saté weer, aha aha.

Liedidee 3: *zingen over het begin en hoe het verder ging*

Een ander dankbaar thema is de ontmoeting. Bij bruidsparen kan bezongen worden waar zij elkaar voor het eerst hebben gezien. Misschien waren de zangers er zelfs wel bij en kijken zij vertederd terug! Dan kunnen zij uit de eerste hand vertellen of het liefde op het eerste gezicht was of juist niet. Hou het niet bij een flauwe weergave ('in een discotheek, zag hij van de week'), maar schrijf de tekst bijvoorbeeld alsof de zangers in een rechtszaak op moeten treden en daar een getuigenis afleggen over alles wat ze zich nog herinneren. Kies voor een rolverdeling tussen zingende ondervragers en zingende getuigen, en je hebt meteen iets wat mijlenver uitsteekt boven het gemiddelde. Hebben bruid en bruidegom ook nog rechten gestudeerd, en zit de zaal vol juristen, dan kan het optreden niet meer stuk.

Ook bij collega's kan er in het lied worden teruggegrepen op de begintijd, toen er nog wel eens wat misging met het vullen van de koffieautomaten, zodat het hele gebouw zonder zat, of toen het nieuwe IT-systeem een miskoop bleek te zijn. Vergeet er niet bij te vermelden dat het uiteindelijk natuurlijk dik in orde is gekomen met het functioneren van de jubilerende of vertrekkende collega.

Voorgekookt

Wijs: *"Testament" van Boudewijn de Groot*

> *Na drieëntwintig jaar bij Unilever*
> *Stap jij nu over naar Akzo Nobel*
> *Dat is vast geen betere werkgever*
> *Maar de centjes, ja, dat snappen we weer wel.*

Dit lied leent zich voor alle situaties waarin een terugblik op zijn plaats is. Merk op hoe een online rijmwoordenboek hier uitkomst bood: typ 'Unilever' in, en er komt zomaar 'werkgever' tevoorschijn. Een geschenk!

Liedidee 4: *zingen over hobby's en hebbedingen*

Een ander thema voor een lied kan bedacht worden door de bezittingen van het bruidspaar voor het geestesoog te laten verschijnen. Hebben ze een dubbele douche, een dubbele wastafel, twee auto's en twee huizen? Misschien zijn er nog wel meer dingen die ze in tweevoud hebben. Maak er een licht absurde lijst van, en breng al die dubbelheid steeds samen in het refrein, waarin wordt bezongen dat ze vandaag nu juist een eenheid zijn geworden.

Jubilarissen, vertrekkende collega's en gelauwerden hebben soms een verzameling porseleinen varkentjes of een door niemand begrepen passie voor parkieten. Bezing dat onderwerp met de welwillende geamuseerdheid die erbij past, aangelengd met net zoveel genegenheid als je voelt, en het lied is een cadeau dat de vvv-bon zeker ontstijgt. Zit een bruidspaar op dansles? Speelt de bruidegom bij Voetbalvereniging Overdinkel? Doe daar wat mee. Zingt de collega in een Gregoriaans koor? We hoeven het niet eens meer te zeggen.

De casus Piet

Aanleiding: *De groenteman in de Burgemeesterswijk gaat sluiten. Een heel verlies voor de buurt. Tegen de teloorgang van de kleine middenstand is geen kruid gewassen, maar een afscheidslied zingen: dat kan wel.*

Thema: *Maar ja, wat weet men in de buurt eigenlijk van Piet en zijn vrouw Mieke? Niet veel. Geen probleem, want de buurtbewoners beseffen wel wat zijn winkel voor hen betekend heeft. En met een refrein dat inzoomt op de prettige alliteratie van Piet en preien is er al snel eenheid aangebracht.*

Gevoel: *Met de groenteboer is nu eens geen appeltje te schillen, en voor plagen is de aanleiding te triest. De zangers willen vooral laten weten dat het zo fijn was, een winkel in de buurt, en dat zij Piet en Mieke zullen missen.*

Melodie: *Wat ligt meer voor de hand dan een melodie uit de groentesector? Als deuntje wordt gekozen voor 'Ik heb geen bananen': eenvoudig te zingen, en vrolijk van sfeer. Want het moet natuurlijk geen drama worden, dit afscheid.*

PIET HEEFT LEKKERE PREIEN

's Middags om een uur of vijf,
dan is bij ons de vraag:
bloemkool, bonen, broccoli,
wat eten we vandaag?
Dus hup naar onze groenteboer,
die heeft het sowieso,
daar is een ruime keuze,
en je krijgt het haast cadeau.

(ja, ja, ja...)

Piet heeft lekkere preien,
die lekkere preien, van Piet.
Vitaminen!
Mineralen!
Kom ze maar halen!
Piet heeft lekkere preien
Die lekkere preien van Piet.

Groenteboeren en -boerinnen
heb je overal.
Maar Piet en Mieke zijn beslist
de besten van 't heelal.
Ze zijn ontzettend aardig,
en je staat nooit in de rij.
En alles is er lekker,
maar toch bovenal die prei...

(ja, ja, ja…)
Piet heeft lekkere preien…

Die luxe van zo'n winkel,
op het hoekje van je straat.
Wat zullen we ze missen,
nu hun winkel sluiten gaat.
En zeker ook de kinderen,
want Piet maakt ze zo blij,
met grapjes en met ijsjes,
maar vooral toch met z'n prei.

(want o, o…)
Piet heeft lekkere preien…

Piet en Mieke, dank voor
al die jaren in de zaak.
We zullen jullie missen,
heel erg veel en heel erg vaak.
Dat knusse en vertrouwde,
met die vrolijkheid erbij.
Dat vaste baken in de buurt,
en natuurlijk ook die prei.

(ja, ja, ja…)
Piet heeft lekkere preien…

Liedidee 5: *zingen voor degene die je het minst goed kent*

Op huwelijken en andere duo-evenementen kennen de bruiloftsgasten de ene helft van het paar vaak beter dan de andere. We hebben niet voor niets de uitdrukking dat iemand 'van de koude kant is'. En bij ambtsjubilea, promoties en oraties is men doorgaans vooral bekend met het feestvarken, en veel minder met diens partner. Natuurlijk is het toegestaan om iemand vanaf de warme kant gloedvol toe te zingen – al het is wel zo attent om de ietwat verkilde wederhelft ook nog even te gedenken.

Een gedurfdere stap is om juist degene die je het minst goed kent toe te zingen. Gegarandeerd dat dat gewaardeerd zal worden. Het is een hartelijk gebaar, en geeft de gelegenheid om ook de wederhelft van een geliefde dochter, collega of vriend echt in het lied te betrekken. Speel je bijvoorbeeld in het vrouwenvoetbalteam en heb je de kersverse bruid van je teamlid pas één keer eerder ontmoet? Maak dan een lied waarin je haar tips geeft voor een harmonieuze omgang met haar partner, gebaseerd op de jarenlange ervaring in het team. Zo'n lied laat zien dat er een hechte band is. De toon kan licht plagerig zijn, maar er kan natuurlijk ook een tikje droefenis doorklinken, omdat de dolle tijd waarin alle meiden in het team vrijgezel waren en iedereen het met elkaar deed, nu voorgoed voorbij is.

Op gouden huwelijken kunnen het ook best eens de partners van de kinderen zijn die hun schoonouders toezingen. Ze kunnen hen bedanken voor het aanleveren van zulke fijne levensgezellen (als melodie dringt zich al snel iets van Pierre Kartner op), of juist de plagerige route kiezen: wat is dat toch met die voorliefde voor de Chinees, terwijl er tegenwoordig zoveel goede restaurants zijn? Wij kennen zelfs drie zwagers die hun schoonvader elk jaar toezingen over de zorgvuldig geheimgehouden omvang van zijn kapitaal. Op de wijs van 'Geef mij maar Amsterdam' begonnen ze ooit als volgt:

Geef mij maar geld van Bert
Hij is zo'n royale vent
Geef mij maar geld van Bert
Nee, hij is beslist geen krent
Geef mij maar geld van Bert
Dat komt altijd goed van pas
Elk jaar geeft hij riant
Maar nooit aan de kouwe kant
Geef mij maar geld van Bert

Toen de kredietcrisis had toegeslagen rezen er twijfels over Berts liquiditeit:

Het geld van Bert is op
Ja, zo'n crisis is een ramp
Het geld van Bert is op
Het is allemaal verdampt
Het geld van Bert is op
Het is foetsie, het is weg
Nee, je gelooft je oren niet
Heel de kouwe kant failliet
Het geld van Bert is op

Maar inmiddels hebben ze er weer meer vertrouwen in, want op de meest recente verjaardag zongen ze opgelucht: 'Het geld van Bert is terug'. Overigens begrijpt een kind dat dit onderwerp niet in elke familie even goed zal vallen.

Zo dus niet

Vijftig jaren getrouwd
En ze zijn nog niet oud
Maar al heel lang getrouwd
Hebben heel wat opgebouwd
Hij gaf haar bloemen oheehoo
Hoorde bijtjes zoemen oheehoo
Kan ze wat verdienen oheehoo
Hoeft niet meer te grienen ooheehoo
Vijftig jaren getrouwd
Ja, ze hebben nu goud

Misschien moet je niet te veel verwachten wanneer 'Heb je
even voor mij?' als basislied is gekozen, maar dit moet toch
beter kunnen. Neem die flauwe rijmwoorden op 'getrouwd'.
En dan de clichés waarvan men zich bedient. Verrassend is wel
weer de link tussen bloemen/bijtjes en de echtgenote die iets
kan verdienen. Je zou nog op vreemde gedachten kunnen
komen.

Liedidee 6: *zingen over de timing van het evenement*

Een ander idee is om de dag zelf als thema te nemen. Zo kunnen de zangers zich hardop afvragen waarom het zolang heeft moeten duren voordat er aan trouwen werd gedacht. De antwoorden kunnen in coupletten worden verwerkt. Bijvoorbeeld: er moest eerst nog verbouwd worden en die badkamer kwam maar niet af (per couplet een nieuwe tegenslag bezingen). Of ze moesten eerst nog naar alle luxe vakantieoorden die de wereld kent (per couplet een exotisch land). Of ze wilden eerst drie kinderen krijgen. Pas wel op voor al te pijnlijke feiten (hij wilde haar maar niet vragen, zij zei eerst nee omdat ze verliefd was op een ander).

Een tweede mogelijkheid is om de lijdensweg van de familieleden en vrienden te bezingen, die steeds verwachtten dat het paar nu eindelijk de knoop zou doorhakken of zoonlief nu eindelijk eens zou afstuderen, en dan weer hun teleurstelling moesten verwerken. Bij dat thema past goed een oplopende reeks (met als klap op de vuurpijl dat zelfs de komst van een span kinderen of het stoppen van elke vorm van ouderlijke financiering niet leek te helpen). Let op: ook dit is alleen maar leuk als er geen werkelijke lijdensweg is afgelegd. Zijn er oma's en opa's die al jaren niet meer slapen vanwege de bastaardstatus van hun kleinkinderen, dan is dit thema minder geschikt.

Voorgekookt

Wijs: *'Een eigen huis' van René Froger*

> *Een eigen muis, een plek aan een bureau*
> *En altijd meisjes in de buurt*
> *Met minstens* MEAO

Gelegenheidsliederen ontlenen een deel van hun charme aan de relatie tussen de originele tekst en de variant die daarop is gemaakt. Wanneer die link qua klank sterk is (huis/muis) terwijl er juist een heel ander onderwerp wordt aangesneden, is het effect heel aardig. Natuurlijk zijn er ook minder sterk samenhangende varianten denkbaar: 'Een tweede huis', 'Een eigen zaak', enz. Ook hier bewijst het (online) rijmwoordenboek goede diensten: wie zou er nou uit zichzelf aan 'MEAO' gedacht hebben als rijmwoord voor 'bureau'? Terwijl het in deze setting zo prachtig past.

Liedidee 7:
zingen over het cadeau

Het is een beproefde Sinterklaasmethode: als je niets weet, maak dan een tekst die gaat over het cadeau ('Sint heeft zitten denken, wat hij jou nu eens zou schenken'). Neem bijvoorbeeld het bruidspaar dat een 'wedding list' heeft opgesteld. Misschien bleek alles al snel gereserveerd te zijn door bijzonder doortastende familieleden, zodat er voor de vrienden alleen nog een paar opscheplepels en twaalf gebaksschotels te geven overbleven. Bezing in dat geval wat er allemaal op de lijst stond, met aan het eind van elk couplet de mededeling 'Maar die was ook al weg'. En krijgt je schoonmoeder als beloning voor vijftig jaar huwelijk een gourmetstel? Schrijf dan op het gejaagde 'Opzij, opzij, opzij' van Herman van Veen over de gezellige avondjes gourmetten die in het verschiet liggen:

Opzij, opzij, opzij,
Maak plaats, maak plaats, maak plaats,
Jouw biefstukje is heus nog lang niet gaar
Opzij, opzij, opzij,
Want ik ben haast te laat
Mijn hamburger is klein maar toch al klaar
We moeten hakken, snijden, bakken, keren
En weer doorgaan
We kunnen niet ontspannen,
Anders gaan we hier weer hongerig vandaan.

Liedidee 8: *zingen over het zingen van een lied*

Is het erg moeilijk om iets te bedenken of is er de behoefte om het lied zelf op de hak te nemen? Ook dat kan stof geven. Maak een tekst over de angst die het bruidspaar of de vertrekkende directeur gevoeld zal hebben voor een optreden, beschrijf hoezeer dat ook te begrijpen is, gezien het matige talent van de aanwezigen, en kom dan in het refrein met de punchline: 'En daarom zingen wij geen lied'. Expres vals zingen van die ene regel kan de feestvreugde nog verhogen.

Een ander thema is om steeds aan te sturen op onthullingen, die op het laatst toch niet worden gedaan. Natuurlijk worden er wel genoeg hints gegeven om te weten waar het over gaat – waarna in het refrein beschaafd wordt beweerd dat het niet past om oude koeien uit de sloot te halen. Zorg ook hier in de uitwerking voor een punchline, die steeds wordt herhaald: 'De zaal zou ervan smullen, maar wij beloven niets door te lullen!'.

Zo dus niet

De meeste dromen zijn bedrog
Kijk het bruidspaar dat staat hier zomaar toch
Kijk ze nou staan daar
Ze houden van elkaar
Voor altijd samen met zijn twee
En met dit paar vieren wij nu dit feestje mee

Het thema is dat het bruidspaar hier nu staat en dat het feest is.
Maar ja, dat hadden we ook zonder dit lied al in de smiezen.
Deze tekst heeft dus niets persoonlijks: hij is op elke bruiloft
toepasbaar. Het is alsof je een vvv-bon cadeau geeft. En dan
laat de kwaliteit van het rijm ook nog flink te wensen over. Zo
moet je wel heel desperaat zijn om 'toch' als rijmwoord te kie-
zen. Deze wanhoopsdaad leidt bovendien tot een rare en lelijke
zin. Overigens valt er ook niet zoveel te rijmen op 'bedrog';
we hebben de keus uit 'doch', 'joch', 'log', 'noch', 'nog', 'poch',
'rog', 'toch', 'trog', 'zog', 'hertog', 'moloch' en 'oorlog'. Mmm.

Liedidee 9:
zingen over de locatie

In ons tomeloze verlangen naar individualiteit kiezen we steeds vaker een feestlocatie die onze persoonlijkheid het best doet uitkomen. Een gemeentehuis met jaren-zeventig-kroonluchter van glazen bollen, een tot kerk omgebouwde gymzaal, de kantine op het werk: ze zijn niet langer aanvaardbaar als feestlocatie. Een kasteeltje, een voormalige strokartonfabriek, museum Naturalis in Leiden of een tropisch strand: dat is al beter. Zelf vinden wij dat het niet veel gekker moet worden, maar eerlijk is eerlijk: deze trend biedt wel mooie kansen voor een lied.

Trouwt een stel in Toscane, hoewel ze gewoon in Hendrik-Ido-Ambacht wonen, dan kan dat het thema aanreiken voor een lied. Vindt het afscheid van de voorzitter plaats in zijn tweede huis in Friesland, doe daar dan iets mee. Schets bijvoorbeeld het pijnlijke contrast tussen de reguliere werkplek, met zijn systeemplafond, tl-licht en reutelende airco, en dit charmante onderkomen met zijn eeuwenoude balken en originele bakoven, waar hij nu lekker veel van zijn tijd door gaat brengen.

Liedidee 10:
zingen zonder woorden

Voor wie echt niets kan bedenken is er altijd nog een ontsnappingsmogelijkheid: het lied zonder woorden. Na-na-na-doep-doe-doe-doe-doe: zoiets kan ook, mits verdomd leuk uitgevoerd. Een intro over de wens van de jarige of jubilaris om geen lied te hoeven aanhoren mag dan niet ontbreken. En er moet zeker iets gedaan worden met pasjes en beurtzang, of met mensen in de zaal die opeens ook opstaan en mee gaan doen, om het geheel komisch genoeg te maken.

Een andere mogelijkheid is om in een lied dat wel woorden heeft onzinpassages in te lassen, bijvoorbeeld na elk couplet (eindig met: 'En dan roept hij vertwijfeld uit', gevolgd door het gewenste 'Lalala' of 'Shoep-shoebie-doewa'). Of gebruik onzinfrases in een achtergrondkoortje, volgens goed Rubettes-gebruik ('Pap-shoewarie-warie-pap-shoewarie'). Vermijd overigens vintage-Rubettes-songs, vanwege de grote afstand tussen hoge en lage noten.

Het Hazes-criterium

Welke onderwerpen lenen zich juist niet voor feestliederen?
Er is een simpele stelregel: heeft André Hazes erover gezongen
of er persoonlijk mee geworsteld, dan is het niet geschikt.
Kijk even mee:

1. *Meer of minder ernstige ziektes, van lichaam of van geest*
(inclusief verslavingen)
2. *Exen*
3. *Faillissementen en andere financiële narigheid*
4. *Uiterlijk en gewicht (vooral bij vrouwen!)*
5. *Geheimen (een buitenechtelijk kind, een borstvergroting,*
gevangenschap)

Maak een plot

Is er een thema gekozen, met een daarbij passend
gevoel, dan is de volgende stap om een verhaallijn te
maken. Want dat is een harde voorwaarde: elk feestlied moet een verhaal vertellen, met een begin, een
midden en een eind. Helaas ligt dat minder voor de
hand dan je zou denken.

Zo dus niet

Toe gasten kom hier en zing met ons mee.
Wij zingen een heel vrolijk lied.
Wij zijn hier bijeen op dit prachtige feest,
en zorgen die kennen wij niet.
Er is in ons midden een prachtige bruid,
zij stapt met haar bruigom vandaag in de schuit.
Daarom zingen wij overlui-hui-huid:
wees welkom o bruigom en bruid!

Er zijn liederen die niet meer doen dan in negen coupletten ieder-
een welkom heten, zoals in dit geval. Voor ons onderzoek hebben
wij bijvoorbeeld moeten toezien hoe het bruidspaar Martin en
Martina een hele tijd in de deuropening van hun gehuurde zaal-
tje staat, terwijl de familie, met Gods zegen ook nog, rustig de tijd
neemt om deze welkomstpsalm te zingen. Aan het eind weten we
niet meer dan aan het begin: we zijn hier op een huwelijksfeest
en over dat simpele feit is net een lied gezongen. Hoe een minuut
en zesentwintig seconden een eeuwigheid kunnen duren.

In een lied moet dus wel wat gebeuren. Neem bijvoorbeeld de beroemde 'Dodenrit' van drs. P. – ook zeer
geschikt voor tal van feesttoepassingen. In het oorspronkelijke lied wordt het verhaal verteld van een

gezin dat per trojka naar Omsk reist. Eerst gaat alles goed, dan komen de wolven en moet steeds een nieuw kind geofferd worden. Op het eind moet ook de vader, die het verhaal vertelt, eraan geloven. Zijn conclusie: Omsk is een mooie stad, maar net iets te ver weg. (De eerlijkheid gebiedt overigens te zeggen dat 'Dodenrit' wel wat meer beslaat dan de pakweg drie minuten die wij zelf zojuist als maximum stelden. Maar het is maar een enkeling die zich die langere duur ook daadwerkelijk kan veroorloven. Ga er voor de zekerheid vanuit dat die enkeling altijd iemand anders is, en hou de feestversie dus beknopt.)

Verhaalvorm 1:
en toen en toen

Een beproefde methode om een verhaal te vertellen is natuurlijk om de volgorde waarin de dingen zijn gebeurd als lijn aan te houden. Dus: 'Hij kwam haar tegen, oheehoo, zij was verlegen, oheehoo', en zo maar door tot aan de huwelijksdag. Een respectabele mogelijkheid, zij het niet heel spannend. Bovendien houdt dat 'oheehoo' in dit geval de boel wel erg op. Maar kies een mooie song en je kunt opeens iets heel anders krijgen. Zo is 'The Day Before You Came' van Abba uitermate geschikt om te beschrijven hoe een dag verliep voordat de komst van een nieuwe liefde of een nieuwe collega alles veranderde.

Nog interessanter wordt het als je met de tijd gaat spelen. Maak bijvoorbeeld voor een vijftigjarig huwe-

lijksfeest een lied alsof dit de lang vervlogen trouwdag is. Op 'Morgen ben ik de bruid', gezongen door
Willeke Alberti ten tijde van haar eerste huwelijk,
moet daar iets moois van te maken zijn. Die aanpak
kan zelfs ruimte geven voor iets waar Nederlanders
nogal eens bang voor zijn: ontroering.

Het geval Laura

*Aanleiding: Laura is een leidinggevende, en dat is altijd op-
passen. Zeker omdat ze geen afscheid neemt, maar een jubile-
um viert. Het mag dus niet al te persoonlijk worden, want men
moet nog wel met haar door één deur.*

*Thema: Het lijkt het veiligst om het algemeen te houden: door
Laura's bijdrage zijn de zaken beter geworden. Welke zaken,
dat laat men wijselijk in het midden. Een klein beetje plagen
mag, maar liefst indirect, bijvoorbeeld door de waardering te
overdrijven. Het feestvarken en de toehoorders kunnen dan zelf
bepalen hoeveel lof ze passend vinden. Verder helpt het om als
zangers zelf niet buiten schot te blijven: zelfspot dus.*

*Basislied: Vanuit die randvoorwaarden ontstaat het idee om
'The Day Before You Came' van Abba te gebruiken. Het is een
zingbare melodie met een melancholieke ondertoon, die goed
gebruikt kan worden om te vertellen hoe beroerd het allemaal
was voordat Laura haar intrede deed.*

De dag voor Laura kwam

Ik moet die ochtend doodgewoon naar binnen zijn gegaan
En bij de drukke roltrap ben ik in de rij gaan staan
Voordat ik naar mijn kamer ging, heb ik m'n post gepakt
Ik denk dat ik op dat moment al naar de eerste koffie heb
    gesnakt
Ik gok dat ik die ochtend heb vergaderd als altijd
En na een punt of drie was ik de draad al lang en breed
    weer kwijt
Ik moet zijn weggedroomd
Ik moet me slap gevoeld hebben; timide, bang, beschroomd
Verveeld, verbitterd, moedeloos, wanhopig, vleugellam
De dag voor Laura kwam

Waarschijnlijk heb ik kort daarna een memo uitgewerkt
    Zo'n stuk dat je dan schrijft, maar waar geen mens ooit wat
van merkt
Ik heb die ochtend vast met een collega iets bepraat
Wellicht heb ik weer veel te lang staan kletsen bij het
    koffieapparaat
Ik heb iemand gebeld – ik heb wat stukken bestudeerd
Ik heb, zoals altijd – wat krabbels in de kantlijn genoteerd
Ik moet zijn opgestaan,
Om net als elke dag naar de kantine toe te gaan
En ongetwijfeld nam ik bij de lunch een broodje ham
De dag voor Laura kwam

Ik heb, denk ik, die middag uren naar mijn scherm getuurd
Waarschijnlijk heb ik vlak voor vijf m'n laatste mails
    verstuurd
Daarna deed ik – het kan niet anders – stukken in mijn tas
En zoals ik gewend ben deed ik vlak voor ik naar huis ging
    nog een plas
Ik sluit niet uit dat ik wat mensen groette op de gang
En bij de roltrap was het vast en zeker weer een drukte van
    belang
Ik sloot aan in de rij
Ik moet naar het station gesjokt zijn, weer een dag voorbij
Een dag die, zoals altijd, mij de laatste lust ontnam
De dag voor Laura kwam

Ahahaha

Maar toen was Laura daar!
Hallelujah! Een Godsgeschenk voor elke ambtenaar!
Wij vieren nu elk jaar de dag dat zij haar intrek nam
De dag dat Laura kwam

Of:

Tot zij haar intree deed
U raadt het, lieve mensen: er veranderde geen reet
Wij stonden altijd onderaan in alle hitparades
Dat staan we nu nog steeds.

Verhaalvorm 2:
laat ik een voorbeeld geven

De tweede manier om een verhaal te vertellen is door voorbeelden te geven. Politici hebben deze manier van *storytelling* ook ontdekt: om de andere zin zeggen zij: 'Laat ik twee voorbeelden geven'. Dat wekt de indruk dat men met beide benen in de praktijk (of, nog beter, de modder!) staat, en, ook niet onbelangrijk, het claimt spreektijd die moeilijk onderbroken kan worden door een vragensteller of opponent. 'Neenee, laat mij even uitpraten, ik was bezig een voorbeeld te geven. En ik heb er nog één!'

In een feestlied gaat het daar natuurlijk niet om. Maar voorbeelden hebben ook daar hun nut: ze geven concreet invulling aan het thema. Neem de volleybalvriend die altijd enthousiast projecten ter hand neemt, maar een stuk minder sterk is in doorpakken en tot een goed einde brengen. Wat voor projecten heeft Harco de afgelopen jaren ook alweer ter hand genomen? Er waren natuurlijk die windmolens, en dat idee voor een tearoom aan de Rijn. En o ja, weet je nog, dat verbouwen van groente in eigen tuin? Je hebt er zo genoeg bij elkaar voor een mooie serie coupletten.

Verhaalvorm 3:
op naar de top

Een andere manier om een verhaal op te bouwen is om de zaken in elk couplet sterker aan te zetten. De tegenslagen tijdens de verbouwing worden in elk couplet dramatischer, de vakantiebestemmingen die het paar van trouwen afhouden steeds exotischer. Overdrijven mag: laat in het laatste couplet gerust het huis instorten, of laat het paar afreizen naar een onwaarschijnlijke bestemming en persifleer hun favoriete reisbrochure, met als punchline steeds dat credo uit elke beschrijving van het programma: 'Er is veel ruimte voor cultuur'.

In de reisvariant kan overigens ook geëindigd worden door juist de woonplaats van het paar te bezingen als de meest extreme bestemming van allemaal. Heb je bijvoorbeeld het geluk dat het koppel net verhuisd is naar Almere, en kunnen zij wel tegen een stootje, dan zijn deze regels een reële optie:

Na Shanghai nam hij haar mee
Naar de stad van Jorritsma en de pvv
Het staat er vol met architectuur
Maar helaas: geen ruimte voor cultuur

Verhaalvorm 4:
monologue interieur

Nog een mogelijkheid is om net te doen alsof de feestvierder zelf aan het woord is in het lied. Dat is bijvoorbeeld gebeurd in het lied voor Klaas, over zijn passie voor het weerbericht. Hij lijkt daar zelf aan het woord ('Eerst weten wat het weer wordt/En dan sta ik pas op'), al zijn het natuurlijk de kinderen die zingen. Het voordeel van deze aanpak is dat ook een kritische noot zo vriendelijk van toon kan blijven. De feestvierder zegt het immers allemaal zelf! Bovendien geeft het blijkt van invoelingsvermogen bij de zangers: zij vertolken toch maar mooi de gedachten van een ander.

De zaak Klaas

Aanleiding: *Klaas en Jeanne zijn vijftig jaar getrouwd en geven een feest voor hun niet geringe verzameling nazaten. Voor beiden wordt apart een lied gemaakt, maar wel met kruisverwijzingen. Hier gaat het om Klaas.*

Thema: *Klaas is een gepensioneerde boer van de oude stempel, met weinig hobby's en andere moderne gekkigheid. Maar hij heeft één opvallende, zij het voor zijn beroepsgroep niet zo vreemde fascinatie: het weer. Hij komt niet uit bed voor hij zich*

via de radio op de hoogte heeft gesteld van het weerbericht. De
kinderen die het lied uitvoeren hebben zich in hun jeugd nogal
eens geërgerd aan dat geëmmer over het weer. Inmiddels kun-
nen zij er met milde geamuseerdheid naar kijken. En ze zijn
blij dat ze in ieder geval een thema voor een lied hebben gevon-
den.

Basislied: *Vanwege het thema gingen de gedachten al snel*
naar 'Ik word altijd wakker met een wijsje in mijn hoofd', een
liedje dat mensen met kinderen geneigd zijn om te kennen.

WEERBERICHT

Het weer is heel belangrijk
Het kleurt je leven in
Te weten wat het weer wordt
Dat geeft mijn leven zin

Dus word ik 's ochtends wakker
Dan druk ik op de knop
Eerst weten wat het weer wordt
En dan sta ik pas op

Ik ben iemand die nooit zanikt en nooit zeurt
Mits bekend is wat er met het weer gebeurt

(refrein)
Ik word altijd wakker met het boerenweerbericht
Als ik dat niet ken, dan ga ik niet naar buiten
Ik word altijd wakker met het tuindersweerbericht

Als ik dat maar ken, begin ik al te fluiten
Het is gewoon bijzonder, het is gewoon geluk:
Weten wat het weer wordt... en mijn dag kan niet meer stuk
... en mijn dag kan niet meer stuk

Mijn vrouw vindt het maar onzin
Zij zegt: 'in 's hemelsnaam,
Als jij het weer wil weten
Kijk dan maar uit het raam!'

Maar wat je uit het raam ziet
Dat zegt mij niet zo veel
Dat is gewoon maar toeval
Dat is niet officieel

(refrein)
Ik word altijd wakker...

Verhaalvorm 5: *Wat mij betreft, wat jou betreft*

Een andere manier om een verhaal op te bouwen is door te spelen met het vertelperspectief. Laat verschillende mensen in het lied hun visie geven op eenzelfde eigenaardigheid (de passie voor snooker van de bruid, de dassenverzameling van de kersverse hoogleraar), en zorg daarbij voor contrasterende gevoelens. Is de bruid zwanger, laat dan haar zus, haar moeder en haar beste vriendin een lied zingen waarin zij vertellen wat dit voor hen betekent, en wat zij de aanstaande moeder toewensen in haar nieuwe leven, met man en kind. En ja, dan mag er best even een traantje worden weggepinkt.

Strategisch jatten

Natuurlijk kun je ook gebruik maken van de verhaallijn die al beschikbaar is in het lied waarop je een nieuwe tekst gaat maken. Dat geeft houvast, en is, mits goed gedaan, ook stemmingverhogend: het publiek herkent de overeenkomsten en verschillen. Handhaaf af en toe een regel uit de oude tekst die ook wonderwel in de nieuwe versie past, en bewondering is je deel!

Vermijd ongein

Én thema dus, met een gevoel dat de toon van het lied bepaalt, en daar dan een verhaal van maken: dat legt een solide basis. Voordat we verdergaan past echter nog een waarschuwend woord. Check voordat er een melodie gekozen wordt en een tekst bij elkaar gerijmd wordt of het lied met de gekozen insteek niet de kans loopt straks tot de categorie van de ongein te gaan behoren.

Pijnlijk!

Wij waren eens op een bruiloft die verziekt werd doordat in het lied – opgebouwd rond één thema, dat wel – onthuld werd dat de bruid haar man had leren kennen via een contactadvertentie, iets wat ze graag geheim had willen houden. Op de Marco Borsato-regel 'Steeds als ik je zie lopen, dan gaat de hemel een klein beetje open' was voor het lied een niet onverdienstelijke variant gemaakt: 'Steeds zag je Lonneke lopen, was zij op weg om een Volkskrant te kopen'. (We spreken hier over de tijd voor de opkomst van internetdating.) Helemaal goed kwam het niet meer, met deze trouwdag.

Verbazend veel liederen blijken te raken aan pijnlijke gebeurtenissen. We vermoeden dat deze ongevoeligheid te wijten is aan onze obsessie met cabaret (ons land telt inmiddels meer cabaretiers dan loodgieters), en aan onze verder zo charmante Sinterklaastraditie, waarin we elkaar eens flink op onze zwakheden wijzen. In die setting past dat ook prima: zo laten we zien dat we elkaar door en door kennen – een troostrijke gedachte, zelfs als we ons wat ongemakkelijk voelen bij een gedicht over onze obsessie met calorieën of ons onbegrijpelijke onvermogen om een rijbewijs te behalen. Maar op menig liedwaardig feest is ook de afdelingsmanager van het feestvarken van de partij, en dan zijn die dingen opeens een stuk minder leuk.

Het is dus verstandig om even stil te staan bij de mogelijkheid van een gênante vertoning. In de voorbereiding kan naar hartelust gelachen worden om de twee eerdere huwelijken van de bruidegom of de ellenlange vergadermonologen van de vertrekkende directeur. Maar is het leuk voor de persoon in kwestie om daar een heel lied over aan te horen? Waarschijnlijk niet. Wel een thema, een gevoel en een verhaal, maar geen pijnlijke onderwerpen: dat is dus de opdracht.

Natuurlijk hoef je niet elke intimiteit te vermijden. Een koor van studentikoze types op de bruiloft van Sebastiaan en Annerieke komt bijvoorbeeld goed weg met:

Sebastiaan, Sebastiaan, zie hem daar nou eens
  staan
Dat heeft hij even goed gedaan
Al tien jaar lang gaat hij met haar zo om de dag
  van bil
Zelfs wij vinden dat ietwat veel;
Want als die jongen thuiskomt
Al is het 's morgens vroeg
Dan krijgt zij van hem geen genoeg
En dan moet hij presteren
Met tien bier in zijn kraag
Annerieke lust hem graag

Inderdaad, geen briljante tekst. Maar de strakke, haast
klassieke a capella-uitvoering, op 'Viva la vida' van
Coldplay, vierstemmig, zorgt voor een geestig contrast, zodat al te grote platheid wordt vermeden.

Sentimenteel en toch ontroerend

Wij zijn geen voorstander van André Hazes, qua feestlied, want voor die uithalen moet je toch wel een beetje kunnen zingen. Maar we maken graag een uitzondering voor 'Wees zuinig op m'n meissie'. Tijdens ons onderzoek bleek dat nogal wat vaders en moeders op die deun hun kersverse schoonzoon toezingen, op de bruiloft van hun dochter. En we moeten zeggen: het werkt. Met een paar kleine aanpassingen ('Wees zuinig op ons meissie, beste Wouter') heb je al snel een ontroerend liedje. Vooral als de ouders zingen dat dochterlief altijd bij hen aan kan kloppen (dus ook in geval van scheiding, nemen wij aan), pinkt menig bruid een traantje weg. En dat is mooi.

Wees niet bang voor ontroering

*T*ot slot nog een heel wild idee. Als de juiste talenten daarvoor beschikbaar zijn, dan is het ook denkbaar om niet de kant van de lach te kiezen, maar juist te gaan voor de tranen van ontroering. Dat doen wij Nederlanders liever niet, zo lijkt het, uit angst voor sentimentaliteit – of misschien uit angst voor echt gevoel? Niettemin is het te overwegen: kies een prachtige melodie en schrijf daar een tekst bij waarin je laat weten hoeveel je houdt van de degene die wordt toegezongen, of memoreer de mooiste herinneringen die je samen deelt.

De kwestie Atie en Ernst

Aanleiding: *Elk jaar gaan Atie en Ernst met hun drie kinderen op familieweekend. Door ernstige ziekte bij een paar van de kinderen en schoonkinderen zijn de laatste jaren bijzonder moeilijk geweest, en lukte het niet om met elkaar weg te gaan. Maar nu is er toch weer een weekend gepland.*

Thema: *Na zoveel ellende lijkt het een goed idee om mooie herinneringen op te halen, aan de vakanties die vroeger samen werden doorgebracht. Niet alles was vroeger beter, maar die vakanties, die waren altijd top. Weemoed is hier de leidende emotie, aangelengd met een vleugje dankbaarheid voor wat eens was en voor wat nog steeds resteert, ondanks alles.*

Basislied: *'In the bleak midwinter' (gemakkelijk Engels kerstliedje, met mooie tweede stem)*

Altijd scheen de zon

'*s Ochtends vroeg vertrekken*
Stapels Donald Ducks
Thuis gesmeerde broodjes
Groot was ons geluk
Over 's heren wegen
Zo naar Avignon
Er was nog geen airco
Altijd scheen de zon

Meestal naar de bergen
Heel soms naar de zee
Altijd met z'n vijven
Soms ging opa mee
's Ochtends stokbrood en croissants
's Avonds badminton
Weerbericht van Pellenboer
Altijd scheen de zon

Spelen in riviertjes
Zwemmen in een meer
Eindeloze tochten
Voeten deden zeer
Furka en de Simplonpas
Route Napoleon
Alles ging vanzelf toen
Altijd scheen de zon

't Zit in mijn geheugen
Nooit raak ik het kwijt
Heerlijke vakanties
Eindeloze tijd
Soms zou ik wel willen
Dat het nog eens kon
Zomers met z'n vijven
Altijd scheen de zon

3.
Mexico,
Mexiiiicoooo!

Over
het kiezen van
een zingbaar lied

Kies een basislied dat aansluit
bij thema en gevoel

*E*r zullen families, werkplekken en vriendengroepen zijn waar men met gemak een pakkende deun componeert, speciaal voor dit ene lied. Meestal kiezen de feestgangers echter een bestaande melodie, die ook nog eens op herkenning zal kunnen rekenen. Zeker als het publiek op zeker moment mee moet zingen, is dat aan te raden.

Een zingbaar lied uitkiezen is minder gemakkelijk dan het lijkt. Maar voordat we ons daarin verdiepen eerst het belangrijkste punt: het lied dat je kiest moet aansluiten op het gekozen onderwerp, de gevoelens die uitgedrukt moeten worden en de verhaallijn. Een goede match is essentieel. Ga dus niet in het wilde weg zoeken, en neem ook niet zomaar de eerste de beste hit van het moment, alleen omdat dat liedje tijdelijk populair is. Het verhaal en het gevoel vormen de leidraad, een zo krachtig mogelijke muzikale ondersteuning daarvan is het doel.

Een van de eigenschappen van een goed lied is dat er door de combinatie van de boodschap en de muzikale vertolking een bepaalde sfeer ontstaat. Waarom is het Franse volkslied, in tegenstelling tot het onze, zo aansprekend? Omdat in zowel de tekst als de muziek dezelfde strijdlust doorklinkt. Dat begint meteen al in de met marsmuziek ondersteunde openingsregels: 'Allons enfants de la patrie, le jour de gloire est arrivé!' Je ziet voor je hoe de meute door de straten marcheert, zelfs als je geen woord van de tekst verstaat.

De kunst is om – met onderwerp en verhaallijn als vertrekpunt – te bepalen welke sfeer je wilt oproepen, en daar een goede deun bij te zoeken. Het rijtje met voorbeelden hierna kan helpen om de gedachten te bepalen.

Je wilt een sfeertje oproepen van…	Dus je kiest bijvoorbeeld voor de melodie van…
Weemoed, nostalgie	Wees zuinig op mijn meissie, Het dorp, Brabant, Toen was geluk heel gewoon, Zomer in Zeeland, 't Is weer voorbij die mooie zomer, In een rijtuigie, Sjakie van de hoek, Op een mooie pinksterdag, Het is een nacht (die je normaal alleen in fillems ziet), Droomland, Somewhere over the Rainbow
Vrolijke herinneringen	't Was aan de Costa del Sol, Het is een nacht, De kat van Ome Willem, Daar aan de waterkant
Leutigheid	Eén kopje koffie, Weet je wat ik wel zou willen zijn (een bloemetjesgordijn), Er staat een paard in de gang, Guus kom naar huus, Het is een nacht, Ik heb geen bananen vandaag (wel radijsjes hele mooie, witte en rooie)
Optimisme	Life is Life (nana nananaa), Jan Klaassen was trompetter, Ik ben blij dat ik je niet vergeten ben, Ik word altijd wakker met een wijsje in m'n hoofd, Het is een nacht, Ke-deng ke-deng, De meeste dromen zijn bedrog, Rosanne (ik weet dat er heel veel mannen zijn)
Leed en droefenis	Een man mag niet huilen, Eenzame kerst, Margrietje (de rozen zullen bloeien), Dodenrit, Maar vanavond heb ik hoofdpijn, Huilen is voor jou te laat, Rocky, Non non rien n'a changé, Als de morgen is gekomen, Het is een nacht
Afscheid met een knipoog	Het is een nacht, Waarheen waarvoor, Time to Say Goodbye, Hij was maar een clown (in 't wit en in 't rood, maar nu is hij dood)

Bij verreweg de meeste liedjes die in onze herinnering voortleven, ademen het verhaal en de muziek dezelfde sfeer. Maak daarvan dus gebruik, ook in het feestlied. Zoals in het onderstaande lied, dat het lijzige 'I am sailing' (Rod Stewart) als basismelodie heeft:

> Ik doe bergsport, ik doe bergsport
> Elke berrug, klim ik op
> Ik doe bergsport, nooit iets anders
> Van het da-hal, naar de top
>
> En dan maak ik, heel veel foto's
> Van de dingen, om me heen
> Heel veel foto's, heeeel veel foto's
> En die toon ik, één voor één
>
> Dat duurt uren, vele uren
> Je bent zo een avond kwijt
> Maar dat geeft niet, want mijn vrienden
> Ja die hebben alle tijd

Juist bij een feestlied kan het echter ook goed uitpakken om met een contrast te werken. Bijvoorbeeld door een vrolijk wijsje als 'De kop van de kat is jarig en de pootjes vieren feest' te gebruiken om een reeks blunders te bezingen. Op dezelfde manier is de opgewekt-weemoedige sfeer van een lied als 'Toen was geluk heel gewoon' te benutten om ironisch te zingen over dingen van vroeger waarnaar men juist helemaal niet zal terugverlangen ('Je achterlicht altijd kapot', 'Je verloor altijd met minstens 7-0'). Verder zijn vooral onbedoeld komische smartlappen als 'Een man mag niet huilen' geschikt om betrekkelijk klein leed (de collega komt altijd te laat, de bruid verdwijnt op vakantie steeds in kledingwinkels) enorm uit te vergroten. Je kunt dus ook spelen met de match tussen verhaal en muziek.

Voorgekookt

Wijs: *'Nine Million Bicycles' van Katie Melua*

> *Er zijn vast veel lieve vaders in Den Haag*
> *Maar of er iemand echt zo lief*
> *Zo geweldig is als jij*
> *Dat is wat mij betreft maar helemaal de vraag*

Dit liedje leent zich er goed voor om iemand gevoelvol toe te zingen, al is ook een ironische invulling prima denkbaar. Hoe dan ook, het origineel reikt de verhaallijn al aan. Ook toe te passen op managers ('Er zijn zeker zestien chefs in ons bedrijf') of bruiden ('Er zijn miljoenen leuke vrouwen in ons land').

Gebruik zoekstrategieën

*B*lijkt het geschikte basislied zich niet onmiddellijk door een briljante ingeving aan te dienen? Probeer het dan eens op een van de volgende manieren.

Zoekstrategie 1: *een basislied met een opvallende klankovereenkomst*

Een basislied vinden is soms een kwestie van een snelle klankassociatie leggen. Wil je bijvoorbeeld zingen over de wintersportongelukken van een sportieve maar brekebenerige vriendin? Het woord 'gips' kan je zomaar doen denken aan 'Twips' uit het *Ja Zuster Nee Zuster*-repertoire. En in dat geval reikt Annie M.G. Schmidt over het graf heen een paar handige rijmwoorden aan:

Gips, gips, gips,
Net was ik nog aan het skiën
En nu lig ik op mijn bips
Gips, gips, gips,
Ik weet niet hoe of wat
Maar zo gaat het nu met al mijn trips
Gips, gips, gips,
Als ik neerstort op mijn krent
Als ik weer weggetakeld ben
Met in mijn been complexe breuken
Nou, dan zie ik wel wat pips
O o o, gips, gips, gips.

Is je oma nog steeds bang om te pinnen? Dan dient zich gemakkelijk een Marco Borsato-lied aan om te gebruiken:

Pinnen! Oma, wees niet bang om nu eens
    te beginnen met...
Pinnen! Je moet pinnen!

Zoekstrategie 2: *een basislied dat bij de leeftijd past*

Een goed basislied zoeken kan ook door even te bedenken uit welke tijd het feestvarken ook alweer afkomstig is. Heeft iemand na 1970 nooit meer naar de radio geluisterd? Dan beter geen recente hiphop-trance-hit kiezen als basis, maar juist eens neuzen in de hitparades uit de tijd dat diegene nog wel wist wat er in de top 10 stond. En kies voor een jonge afgestudeerde niet een oubollig liedje uit de jaren vijftig, tenzij je het overduidelijk ironisch inzet.

Zoekstrategie 3: *een basislied dat bij de persoon past*

De muzikale voorkeuren van het feestvarken kunnen ook gemakkelijk als leidraad dienen. Dat heeft als voordeel dat de keus algauw persoonlijk wordt. Heeft degene voor wie het lied gemaakt moet worden bijvoorbeeld een obsessieve liefde voor Peter Frampton, ga dan eens in diens oeuvre kijken ('I want you-hou-hou, show me the way'). Met een kazoo erbij moet het dan al snel heel leuk kunnen worden. Kijkt je moeder elke kerst opnieuw naar de *The sound of music*, ga dan eens na of daar een geschikt liedje uit te halen valt. En is je goede golfvriend francofiel, luister dan eens naar Julien Clerc of Serge Reggiani.

Zoekstrategie 4: *een basislied uit een bepaalde sfeer*

Het kan ook handig zijn om, los van de muzikale voorkeur van de toegezongen persoon, oeuvres af te zoeken die passen bij het thema: het repertoire van Annie M.G. Schmidt of Boudewijn de Groot, de verzamelde werken van к3, alle Beatles-liedjes voor Yoko Ono. Ook binnen grotere domeinen, zoals die van musicalliedjes, aria's en songfestivalkrakers, kun je op onverwachte maar zeer passende ideeën komen.

De top 5 van liedjes
die tweestemmig te zingen zijn

Is het al duidelijk dat er wat zangtalent ingezet kan worden,
dan is het de moeite waard te zoeken naar liedjes die twee- of
zelfs meerstemmig uitgevoerd kunnen worden. Dat geeft op
slag cachet aan een optreden. Onze tips:

1. **'Rozen, rumbonen en rode wijn'** *van Van Kooten en De*
Bie. Twee keer luisteren en je hebt de tweede stem te pakken.
Bevat ook nog een prachtig stukje parlando. Gebruiken!
2. **'Huilen is voor jou te laat'** *van Corry Konings. De goede*
verstaander hoort in het origineel Pierre Kartner. Zijn hele
oeuvre – want hij schreef dit lied – is gemakkelijk tweestemmig
te zingen, inclusief het 'Smurfenlied' (dat wij om redenen van
goede smaak overigens niet aanbevelen).
3. **'Wake up Little Suzie'** *van de Everly Brothers. Ook hier*
geldt weer dat hun hele oeuvre prima tweestemmig te zingen is.
Jammer dat de broers gitaren stuksloegen op elkaars hoofden –
gevalletje van sibling rivalry.
4. **'Droomland'**, *in de uitvoering van André Hazes en Paul de*
Leeuw. Hoort eigenlijk op nummer 1, maar ja, daar staat al een
ander lied.
5. **'Help'** *van de Beatles.*

79

Opera kan wel degelijk!

Ooit hebben Jan Rot, Bill van Dijk en Astrid Nijgh een tournee gemaakt met de voorstelling De Palingvissers: een collectie van door Jan Rot 'hertaalde' stukken uit beroemde opera's. Motto: 'ach, aria's zijn ook maar liedjes'. Wat Rot (als tekstdichter) en Van Dijk en Nijgh (zingend) in huis hebben, is natuurlijk lastig te evenaren. Maar een stukje opera valt beslist te overwegen, mits er in de inleiding bij verteld wordt dat een opera de bron is. Dat geeft gegarandeerd een schokeffect. Denk eens aan:

1. **'Va pensiero'** (*uit de opera* Nabucco *van Verdi*). *Het slaven-koor! Gecovered door de Zangeres Zonder Naam: 'Zwarte slaven, het uur van de vrijheid breekt aan.' Recept: gebruik als begeleiding een klassieke uitvoering, liefst één zonder de koorzang, al kan een mét koorzang ook geschikt zijn. Maak zelf een tekst met veel lalala, hiep hoera en dat soort dingen. Studeer dit in met de feestgangers, voordat het feest begint, en hef het aan als welkomstlied, onder leiding van een dirigent. Werkt uitstekend, want iedereen kan meebrullen met deze melodie, die ook op het repertoire van elk dweilorkest staat.*

2. **'Au fond du temple saint'** (*uit de opera* Les pêcheurs de Perles *van Bizet*). *Het Duet van de parelvissers kent ook iedereen, al was het maar in de versie van Manke Nelis & Dolf Brouwers, getiteld: 'De vis wordt duur betaald'. Het mooist is natuurlijk om het lied ook echt tweestemmig te brengen. Daar heeft men een tenor en een bas of bariton voor nodig, die goed kunnen zingen.*

3. 'Toreador en garde' (*uit de opera* Carmen *van Bizet*). De complete aria van stierenvechter Escamillo is te hoog gegrepen, maar de bekende basisdeun ervan biedt perspectieven. Wij kunnen ons herinneren dat we dit vroeger ook op het schoolplein zongen, met frases als 'Constantinopel is een mooie stad, daar lopen de meisjes in hun blote…'.

4. 'Triomfmars' (*uit de opera* Aïda *van Verdi*). Oorspronkelijk de muziek die de intocht van het Egyptische leger begeleidde nadat de Ethiopiërs (onder leiding van de vader van Aida) in de pan waren gehakt. Thans een grote hit in voetbalstadions. Google maar eens op 'triomfmars' en 'oranjelegioen'. Absoluut een meezinger, ook al wordt er in de oorspronkelijke versie van Verdi in het geheel niet gezongen.

Zoekstrategie 5:
kijk af van anderen

Origineel zijn is leuk, maar je kunt alles overdrijven. Graaf gerust in je geheugen naar geslaagde feestoptredens die je zelf ooit hebt bijgewoond. Of hoor vrienden en familieleden uit: hebben zij ooit een topuitvoering ten beste gegevens op een feest? Natuurlijk kun je ook te rade gaan bij YouTube, waar veel feestliederen geüpload zijn om ons er allemaal van te laten meegenieten. Maar wees voorbereid: je ziet daar vooral wat je beter niet kunt doen.

Top 5 van de best bruikbare liedjes aller tijden

'Heb je even voor mij' is niet alleen de grootste hit die Frans Bauer ooit scoorde, maar tevens het liedje dat blijkens ons empirisch onderzoek in het eerste decennium van deze eeuw het meest als basis is gebruikt op bruiloften en partijen. En dan te bedenken dat dit nummer in oktober 2002 nog verscheen als b-kant van de single 'Eens schijnt voor jou de zon' (in de vergetelheid geraakt). Toch hebben wij 'Heb je even voor mij' niet opgenomen in onze met zorg samengestelde top 5 van de best bruikbare liedjes aller tijden. Wat staat er wél in die lijst, en waarom?

1. **'Het is een nacht'** (Guus Meeuwis). De logische nummer 1. Iedereen kent het, zingt zelfs de melodie van de coupletten zo mee ('Je vraagt me of ik zin heb in een sigaret…'). Niet te moeilijk ook voor onervaren keeltjes, want het omspant maar zes noten. En dan het refrein, dat nagenoeg integraal bruikbaar is. Vervang het woord 'nacht' door iets anders, paar kleine aanpassingen verderop, en voilà: refrein klaar én reeds vanaf de tweede keer meezingbaar voor de hele zaal.

2. **'Dodenrit'** (drs. P). Een klassieker uit 1974. Makkelijk te zingen én je kunt er een royaal verhaal in kwijt. 'Dodenrit' zet je ook haast vanzelf op het spoor van een reeks coupletten waarin alles (maakt niet uit wat) stap voor stap steeds erger wordt. Een aandachtspunt is om je tekst, net als in het origineel, die hele strakke dreun van veertien lettergrepen per regel mee te geven.

3. **'De meeste dromen zijn bedrog'** *(Marco Borsato). Stond in 1994 twaalf weken op 1 in de top 40; een tot op heden on-geëvenaard record. Ideaal om vrolijke dingen te bezingen, maar ook voor onzin van het type 'Steeds als je Wouter ziet lopen, dan staat zijn gulp weer eens wagenwijd open'. Maar let op: de me-lodie bevat valkuilen, of zo je wilt: muzikale uitdagingen. Met een stevige karaoke-versie qua begeleiding is het nummer goed te doen. Zonder begeleiding is dit lied lastiger dan je denkt. En bedenk dat er op 'bedrog' maar bedroevend weinig rijmt.*

4. **Testament'** *(Boudewijn de Groot). Dit lied heeft, net als Boudewijn zelf, de bejaarde leeftijd bereikt. De dichter van de tekst, Lennaert Nijgh, is zelfs al overleden. Maar 'Testament' leeft voort op bruiloften en partijen. En terecht. Absoluut niet moeilijk te zingen. En heel geschikt om terug te blikken ('Na vijfentwintig jaar bij Unilever…'), maar dan natuurlijk met milde spot, en niet met het venijn van de oorspronkelijke tekst. Let op: niet geschikt om door de zaal te laten meezingen.*

5. **'Land of Hope and Glory'** *(Edward Elgar en A.C. Ben-son). In onze multicriteria-analyse is, ook tot onze eigen verras-sing, dit alternatieve volkslied van het Verenigd Koninkrijk als nummer 5 komen bovendrijven. Onbetwistbaar sterke punten zijn de meezingbaarheid en de prettig-plechtige sfeer die de deun losmaakt. Ideaal als uitsmijter, waarna iedereen met een warm gevoel naar huis kan. Mits er inderdaad uit luide borst meegezongen kan worden. Bevorder dit door de tekst simpel te houden en op een spandoek of via een beamer aan de zaal te to-nen. Tip: laat iemand als een echte dirigent de maat zwaaien bij de samenzang.*

Kies een bekende melodie

*B*en je eenmaal op het spoor van geschikte kandidaten voor het basislied, dan is het van groot belang de praktische uitvoerbaarheid te controleren: is de melodie goed te zingen voor de club die straks de klus moet klaren? En als het publiek ook mee moet doen, zullen zij zonder probleem in kunnen vallen?

Het simpelst qua vorm en het best meezingbaar is een liedje met maar één melodietje: alle verzen hebben precies dezelfde deun, zoals in het eerder genoemde 'I Am Sailing', en bijvoorbeeld ook in 'Dodenrit' van drs. P. In de praktijk kom je echter al snel terecht bij een basislied dat bestaat uit coupletten (met een steeds wisselende tekst) en refreinen (steeds dezelfde tekst). Dat kan ook handig zijn: het geeft de mogelijkheid om in de coupletten voorvallen of eigenschappen te bezingen, en in het refrein een algemene conclusie of moraal te verwoorden.

Voorgekookt

Wijs: *'O, o Den Haag' van Harrie Jekkers*

Ik zou best nog wel een keertje net als vroeger rode rozen
    willen krijgen
En dan uit eten met een kaarsje op de tafel en daarbij
    een glaasje wijn
En dan terug over het strand, zo hand in hand, met het
    maanlicht in je ogen
En dat ik dat nog een keertje net als vroeger jouw prinses
    zou mogen zijn

O, o Jan-Henk
Nuchtere vent zonder strapatsen
O, o Jan-Henk
Wat ben je toch een ijskonijn
O, o Jan-Henk
Toch zou'k met niemand willen ruilen
Meteen gaan huilen
Als ik niet jouw vrouw zou zijn

Ook dit is weer zo'n basislied waarmee je alle kanten op kunt.
Die eerste regel leent zich voor tal van terugblikken. Maar ook
een andere woonplaats laat zich er prima mee bezingen ('O, o
Roermond').

Wees bij het kiezen van een basislied bedacht op de valkuil dat refreinen vaak wél bekend zijn, maar dat de melodie van de coupletten meestal aanzienlijk minder goed is blijven hangen. 'A Night Like This' van Caro Emerald is een vrolijk liedje met een gemakkelijk mee te zingen refrein, maar o wee die coupletten! Waarschijnlijk kun je je evenmin heel precies de deun herinneren van de coupletten van ''t Is weer voorbij die mooie zomer', 'Jan Klaassen was trompetter', 'Denk toch heel goed na (voor je scheiden gaat)', 'Busje komt zo', 'Och was ik maar (bij moeder thuis gebleven)', 'Fuck You Very Much' van Lily Allen of 'It's a Living Thing' van het Electric Light Orchestra.

Is de melodie van het couplet inderdaad te onbekend en/of te moeilijk, maar zijn er dwingende redenen om toch juist dát lied te gebruiken? Dan zijn er twee oplossingen. De eerste is om de coupletten uitsluitend te laten zingen door de enkelingen die de melodie wél kennen/beheersen. De tweede oplossing is alleen de bekende melodie van de refreinen te gebruiken, en de coupletten dus gewoon over te slaan. Dat gaat goed zolang het refrein in kwestie voldoende body heeft. Refreinen van het type 'Busje komt zo' vallen daarmee, dat moge duidelijk zijn, onmiddellijk af.

Voldoende ruimte voor voldoende inhoud?

Sommige bekende en goed meezingbare liedjes zijn qua inhoud nogal povertjes, doordat er in die liedjes erg veel herhalingen zitten, of veel lalala's. Neem 'Brown Girl in the Ring, shalalala' van Boney M. Een dergelijk liedje biedt echt te weinig ruimte om een punt van enige betekenis te maken. Voor een pakkende deun als 'He's Got the Whole World in his Hand' geldt hetzelfde. En bedenk: hoe minder verschillende tekstregels er in het lied passen, hoe krachtiger de inhoud moet zijn van de enkele regels die dan nog ter beschikking staan.

Kies een melodie zonder technische uitdagingen: de 'Mexico-test'

Vraag een willekeurig gezelschap of ze 'Mexico' van de Zangeres zonder Naam kennen, en iedereen zegt vol overtuiging ja. Vraag vervolgens of eerst persoon A dit lied wil voorzingen (met lalala, want het gaat nu even niet om de woorden maar om de muziek). Vraag daarna aan persoon B hetzelfde. En ziedaar: tien tegen één dat beide uitvoeringen zeer van elkaar verschillen. Hoogstwaarschijnlijk lopen de meningen al uiteen bij de allereerste zin: 'Ik ben naar Mexico gekomen…'.

En daarna stapelen de problemen zich alleen maar verder op: moeilijke overgangen, grote sprongen, hele hoge noten afgewisseld met hele lage. Neem dus nooit 'Mexico' als basislied. Veel te moeilijk.

Voorgekookt

Wijs: 'Kom van dat dak af' van Peter Koelewijn

Floris Elbers is echt een afwezige man
Hij is wel eens thuis maar daar merk je niks van
Hij zit altijd boven en hij doet daar zijn ding
En beneden schreeuwt het gezin

Kom van die zolder
'k Waarschuw niet meer
O o o kom van die zolder

Wil je iemand aanspreken op een (niet al te echtscheidingsge-voelige) eigenschap, en mag de zaal ook nog eens luidkeels meedoen? Dan is Peter Koelewijn je man! De toepassingen zijn talloos: 'Kom van die golfbaan', 'Kom uit die sauna', 'Kom van die x-box', enz. In die wetenschap kun je je wel afvragen waarom Koelewijn nu juist voor dat dak heeft gekozen. Maar ja, hij schreef ook 'Angeline, m'n blonde seksmachine'.

Gewoon uitproberen, zoals in het 'Mexico'-voorbeeld hierboven: dat is verreweg de eenvoudigste manier om vast te stellen hoe moeilijk of gemakkelijk een melodie te zingen is. Het is goed om daarbij te weten dat in de praktijk de overgang tussen couplet en refrein – en weer terug – niet zelden een struikelblok is. Een voorbeeld is 'Het kleine café aan de haven' van Vader Abraham. Dat heeft coupletten in mineur (die klinken een tikje droevig) en refreinen in majeur (daarin is de toonzetting wat vrolijker). Hetzelfde is aan de hand in 'Het Land van Maas en Waal' (Boudewijn de Groot). In beide gevallen zijn couplet en refrein los van elkaar eenvoudig zingbaar. De stap van het één naar het ander is echter lastig, zeker als er geen muzikale begeleiding is. Probeer maar eens uit. En ben je toch aan het uitproberen, let dan ook speciaal op de afstand tussen de hoogste en de laagste noten uit het lied. Bij een lied waarin én hele hoge én hele lage noten voorkomen, gaan mensen heel lelijk hoog piepen, laag en onverstaanbaar brommen of halverwege ineens een octaaf hoger zingen om vervolgens de weg terug naar een octaaf lager nooit meer te hervinden. Neem 'Pappie loop toch niet zo snel'. Een prachtig lied, dat op het eerste gezicht prima aanknopingspunten biedt: 'Connie fiets toch niet zo snel', 'Xander lul toch niet zo veel', enzovoort. Maar tevens een lied dat het bereik van verreweg de meeste zangers te buiten gaat: de afstand tussen de laagste noot (begin van het couplet) en de hoogste noot (tegen het eind van het refrein) is bijna twee octaven. Dat trekt bijna niemand.

Vriendschap is – behalve een illusie – ook te moeilijk

*In het kader van ons onderzoek waren wij getuige van het op-
treden voor een zekere Kees uit Gouda. Kees heeft een weinig
ontwikkeld richtinggevoel, en als cadeau was daarom voor een
TomTom gekozen – meteen een prima thema voor het lied. De
gekozen melodie van 'Vriendschap (is een illusie)' van Het
Goede Doel paste qua sfeer uitstekend bij dat thema, en ook rijmen kon men best:*

> *Als kind was Kees beslist een energieke vent*
> *Maar nooit gevoel voor richting, hij verdwaalde permanent*
> *Als hij op pad ging, ging het op de hoek al mis*
> *In Gouda zijn er mensen die nog steeds niet weten waar hij is*
> *Hij dwaalde uren doelloos door de stad*
> *Wanhopig zoekend naar het juiste pad*
>
> *Eén keer moet je constateren*
> *Kees kan niet navigeren*
> *Kees verdwaalt altijd*
> *Met Kees ben je de weg altijd kwijt*

*Toch werd het optreden geen succes. Want zo bekend als het
refrein van dit lied is, zo moeilijk zingbaar is de melodie van
de coupletten, onder meer door de modulaties (veranderingen
van toonsoort).*

De zangers zongen in hun toenemende wanhoop allemaal anders. Dan denken wij: 'Had nou die 'Mexico'-test maar toegepast!' En krijgen respect voor Henk Westbroek.

Bepaal de hoogte van de inzet

Bij het uitproberen van een lied hoort ook dat duidelijk is hoe hoog of laag het tijdens de uitvoering moet worden ingezet. Bij meezingers als 'You'll Never Walk Alone' of 'We Are the Champions' ontstaan bijvoorbeeld grote moeilijkheden als de eerste regel meteen al vrij hoog wordt ingezet. Want daarna komen de versregels van deze liederen steeds hoger te liggen. Als het tegenzit haalt tegen het einde niemand de hoogste noten meer.

Zorg er daarom voor dat iemand met enig verstand van muziek vooraf bepaalt op welke toonhoogte de inzet moet klinken. Neem desnoods een blokfluit mee om het bij het oefenen met z'n allen eens te woorden over de eerste noot, steek die blokfluit ook bij je voor het feest, en neem een moment om ook daar de eerste toon vast te stellen. Doe het omstandig, alsof een heel orkest moet stemmen, en de club lijkt ineens op een echt koor.

Voorgekookt

Wijs: 'You Took a Fine Time to Leave Us Lucille' van Kenny Rogers

> *Een mooie tijd voor een afscheid, Verschuur*
> *Het magazijn is een puinhoop*
> *En de overhead te duur*
> *De omzet is aan 't zakken*
> *De werknemers zijn wrakken*
> *Nu jij weggaat, het kan niet, Verschuur*

Country-and-western is een onderschat genre, als het om feest-liederen gaat. Neem alleen al het succes dat behaald kan wor-den met een goed geplaatste snik in de stem! Bovendien past de doorgaans larmoyante melodie prima bij vele vormen van af-scheid. En als iemands naam uit twee lettergrepen bestaat, met de nadruk op de laatste, dan zit je met dit nummer van Kenny Rogers bepaald gebeiteld. Voorwaarde is wel dat de uitvoerende een beetje moet kunnen zingen, en dat er niet – wij herhalen: niet – in koor gezongen wordt. Dat doet het effect volkomen teniet.

4.

Eerst in de bruidssuite, dan op kraamvisite

Over het schrijven van een lekker lopende tekst

Begin met de punchline

$\mathscr{W}$ie begint met een leeg vel, kan alle kanten op. En dat maakt het begin van de liedtekst nu juist zo moeilijk: die overvloed aan keuzes. Daarom een advies: begin met een themaregel die steeds terug kan komen: de zogenaamde punchline. Wie daarvoor een treffende regel heeft bedacht, is al meer dan half op weg.

De Andries Knevel-factor

Een goede punchline heeft een hoge Andries Knevel-factor. Deze wetenschappelijke term ontlenen we aan het schoolvoorbeeld van een lied met een krachtige punchline, geschreven en onnavolgbaar uitgevoerd door Brigitte Kaandorp. In de eerste vier coupletten bezingt zij allerhande leed ('maar zelfs al zit ik snikkend op een bank in het plantsoen'), ze eindigt steeds met de verzuchting dat het allemaal best meevalt, zolang ze het maar niet met Andries Knevel hoeft te doen. Na twee keer weet het publiek wat er komen gaat, en is het wachten op die terugkerende regel een flink deel van de pret. En net als je denkt dat het zo nog even door zal gaan, begint ze te variëren: 'Liever midden in de nacht in een moeras verdwaald, dan dat Andries Knevel plots zijn ding tevoorschijn haalt'.

Zo'n basisregel als uitgangspunt werd bijvoorbeeld gebruikt in het feestlied voor een stel dat met te veel kinderen en spullen woont in een te klein huis – overigens geheel tot hun eigen genoegen. Zo hebben ze een enorme lp-collectie en plakken ze hun foto's nog steeds in fotoalbums, die vervolgens enorm veel plaats staan in te nemen in hun toch al uitpuilende boekenkast. De vrienden dringen al jaren aan op enige digitalisering, en besluiten dat advies als punchline te kiezen voor hun lied: 'Zet het toch op je harde schijf'. In de coupletten kan voorzichtig begonnen worden met de lp's, de cd's, de foto's en de boeken, om de reeks te besluiten met steeds minder sympathieke suggesties: ook de talloze kussens en kleedjes kunnen misschien beter op de harde schijf verdwijnen, net als de drie schildpadden, de twee cavia's en de drie poezen, en misschien zelfs wel – al is het maar voor eventjes – die vier leuke maar nogal drukke kinderen.

Het vraagstuk Hans

Aanleiding: Hans heeft zijn bedrijf goed kunnen verkopen en geeft een feest om dat te vieren. Zijn studievrienden vinden dat een lied niet mag ontbreken.

Thema: Natuurlijk moet het lied over succes gaan; als iets Hans typeert is dat het wel. Gelukkig is Hans een aanstekelijke persoonlijkheid, die men zijn successen maar moeilijk kwalijk kan nemen. Er is dan ook al snel een punchline bedacht: 'Oh, was ik maar als Hans'. Toch kan het soms ook lastig zijn, die vriendschappelijke omgang met iemand wie alles lijkt te lukken. En er zijn natuurlijk schaduwkanten aan Hans' dadendrang, die in het lied best genoemd mogen worden. Daar kan hij best tegen.

Basislied: 'Dodenrit' van drs. P is uiterst geschikt: gemakkelijk te zingen, gemakkelijk te begeleiden op gitaar, monter van sfeer, en in elk couplet kan worden toegewerkt naar de punchline. Bovendien kan op het eind een andere toon worden ingezet, simpelweg door veel langzamer te zingen. Bij de opbouw van het verhaal is het vervolgens nog slechts een kwestie van voorbeelden bedenken: waarom zouden wij wel willen zijn als Hans? Daarbij werkt, net als in het oorspronkelijke lied, een oplopende reeks het beste. Maar: er moet ook een schaduwzijde komen. Het lied kan dus in twee delen uiteenvallen.

O, WAS IK MAAR ALS HANS

Wij zingen nu een liedje over onze goede vriend.
Dit is immers zijn feestje, en dat heeft hij wel verdiend.
Zijn grote kwaliteiten zijn het thema van dit lied.
Want Hans kan bijna alles, en op zeer divers gebied.

Hij zeilt niet onverdienstelijk, hij skiet van berg naar dal.
Hij geeft nog elke donderdag de volleybal een knal.
Hij voetbalt zoals Messi, hij verzilvert elke... kans.
Oh was ik maar, oh was ik maar, oh was ik maar als Hans.

Hij heeft een goede babbel, hij maakt grappen bij de vleet,
Leest minstens zeven kranten, en is constant up-to-date.
Hij spreekt zijn talen meesterlijk: Spaans, Engels, Duits
    en... Frans.
Oh was ik maar, oh was ik maar, oh was ik maar als Hans.

Geen baan is hem te moeilijk, hij weet alles goed te doen.
Salaris, opties, bonussen – hij bullekt van de poen.
En met zijn zwarte geld ontspringt hij telkens weer
    de... dans.
Oh was ik maar, oh was ik maar, oh was ik maar als Hans.

Een Maserati voor de deur, een grote vriendenschaar.
Een lichaam als een jonge God, een fijne kop met haar.
Succesvol bij de vrouwtjes, hij heeft echt voortdurend...
    sjans.
Oh was ik maar, oh was ik maar, oh was ik maar als Hans.

Hij is ons lichtend voorbeeld: hij de zon en wij de maan.
Wij zijn hooguit de aswolk, onze Hans is de vulkaan.
Ja Hans die is het hoofdgebouw, en wij de...dependance.
Oh was ik maar, oh was ik maar, oh was ik maar als Hans.

Met Hans erbij lijkt alles rozengeur en manenschijn.
Wat is het toch een voorrecht om een vriend van Hans te zijn!
Hij maakt ons zo gelukkig, hij geeft onze levens...glans.
Oh was ik maar, oh was ik maar, oh was ik maar als Hans.

[Langzaam gezongen, stemmige begeleiding]

Waar Hans verschijnt, daar klinkt haast als vanzelf
    de feestmuziek.
O Sjonge jonge jonge wat is Hans toch sympathiek!
Maar steeds zie je die twijfel weer, die rondspookt door
    zijn brein:
Zou het gras niet elders...nog net iets groener zijn?

[A tempo]

Moet Hans daar blijven wonen? Of verhuist hij naar de stad?
Blijft hij daar altijd werken? Of probeert hij nog eens wat?
Nog één keer dan naar Mayrhofen? Nog eens vrijgezel?
Of nog een keertje zeilen in de Griekse archipel?

En dit brengt ons ten slotte bij de pointe van dit lied:
Onze Hans kan bijna alles, maar echt kiezen kan hij niet.
Hij lijkt zich af te vragen: is er toch iets wat ik mis?
Is dit nu werk'lijk alles? Is dit alles wat er is?

Ja Hans,

Dit is alles (oehoehoehoe)
Dit is alles (oehoehoehoe)
Dit is alles wat er is.

Volg het rijmschema van het basislied
– of niet

 $\mathcal{D}$e meeste liedteksten rijmen. Dat is niet voor niets: rijm maakt tekst tot een eenheid, en het houdt de regels op het gehoor bij elkaar, zelfs als de inhoud weinig samenhang vertoont. En, ook niet onbelangrijk: rijm zorgt ervoor dat je de regels gemakkelijker uit je hoofd leert (al is het geen garantie, getuige de dramatische playbacksessies van Demis Roussos in het antieke popprogramma *Toppop*).

In ieder boekje over het maken van liedjes en gedichten zijn dan ook hoofdstukken te vinden over rijmschema's. Vreemd genoeg lijkt rijmen daar opeens een vleselijke aangelegenheid. Er is immers sprake van mannelijk en vrouwelijk rijm, gepaard rijm, omarmend rijm en gekruist rijm. Kortom: net als in relaties kun je het in de poëzie flink ingewikkeld maken. Wij zijn echter voorstanders van eenvoud, in ieder geval als het om dichten gaat. Ons advies is dan ook kort en goed: sluit aan bij de rijmvorm van het lied dat je hebt gekozen, tenzij je dat te ingewikkeld vindt.

Smokkeltip: rijm eenvoudig

Niet zelden wijkt het rijm binnen het basislied af van de eenvoudigste sinterklaasvormen die amateurs graag gebruiken. Zoals bijvoorbeeld in 'Liefde van later' van Herman van Veen:

> *Als liefde zoveel jaar kan duren*
> *Dan moet het echt wel liefde zijn*
> *Ondanks de vele kille uren*
> *De domme fouten en de pijn.*
> *Heel deze kamer om ons heen*
> *Waar ons bed steeds heeft gestaan*
> *Draagt sporen van een fel verleden*
> *Die wilde hartstocht lijkt nu heen*
> *Die zoete razernij vergaan*
> *De wapens waar we toen mee streden.*

Hier is een rijmschema gebruikt van AB, AB, CDE, CDE. Natuurlijk kun je in je eigen versie ook gewoon AB, AB aanhouden. Maar lukt het om het net zo te doen als de professionals, dan moet je dat vooral niet laten.

Wil je het over een andere boeg gooien dan de meesterdichters die je voorgingen, neem dan een eenvoudig rijmschema. Het is altijd het gemakkelijkst om voor de meest basale rijmvorm te kiezen: die waarin de tweede regel op zijn voorganger rijmt. Voor kenners: AA, BB, CC. Heb je een hoger ambitieniveau (en als de toegezongen vriend net gepromoveerd is op de sonnetten van Kloos kan dat passend zijn), besef dan wel dat subtiele rijmschema's niet zelden verloren gaan in het feestlawaai.

Voorgekookt

Wijs: *'Love is All' van Roger Glover*

Alle mensen moeten ergens wonen
Een verblijfplaats on-ver-mij-de-lijk
Dus krijg je buren
En een echte carport
Je woont nu in een wijk!

In Purmerend, in Purmere-he-hend
Ja, ik weet wel, het is een end
Maar als je er eenmaal bent, ben je zo gewend
Aan Purmerend, aan Purmerend

Dit is een vrolijke melodie waarmee uitstekend treurige ont-
wikkelingen bezongen kunnen worden. Een woonplaats met
drie lettergrepen, met de nadruk op de laatste, kan een prima
uitgangspunt vormen (Sappemeer, Amsterdam, Winterswijk).
Maar je kunt het ook over een andere boeg gooien ('Alle
mensen moeten ergens werken', en dan in het refrein: 'vws,
v-w-e-he-hes' – of elk ander gewenst ministerie met drie let-
ters).

Gebruik een rijmwoordenboek

Een rijmwoordenboek lijkt op het eerste gezicht een weinig creatieve bijdrage te kunnen leveren aan een lied, maar het tegendeel is waar. Een rijmwoordenboek – online of van papier – reikt je vaak woorden aan waar je zelf niet op zou komen, en behoedt zo voor het gevaar van weinig boeiende opeenvolgingen als 'hou' en 'jou'. Wie zou bijvoorbeeld uit zichzelf bedenken dat 'design' rijmt op 'online'? Of dat 'overhemd' rijmt op 'gelijkgestemd' en – een woord met potentieel – op 'afgeklemd'? Het is een koud kunstje om online een woord in te typen en een hele lijst rijmwoorden aangereikt te krijgen. Wie 'rijmwoordenboek' intikt kan kiezen uit allerlei versies, en hoeft daar dan vervolgens alleen nog het woord in te voeren waarop gerijmd moet worden. Het enige gevaar is dat je er zoveel ideeën door krijgt dat het lied de drieminutengrens verre zal overschrijden.

Het vraagstuk Roderick

Aanleiding: *Roderick is een gewaardeerde docent Economie op een Hogeschool. Na vijfentwintig jaar trouwe dienst gaat hij met al zijn collega's uit eten – weliswaar op eigen rekening, maar dat mag de pret niet drukken.*

Thema: *Hoewel hij al een decennium tevreden stagneert in schaal 12, heeft Roderick de uitstraling van een man van de wereld. Dat komt vooral door de enige buitensporigheid in zijn leven: namelijk een grote collectie dure overhemden. Op stagebezoek maakt hij daar goede sier mee, maar ook gewoon in het leslokaal ziet hij er altijd piekfijn uit. Het ligt dan ook voor de hand om daar over te zingen. Aan het eind bieden de zangers geen hemd aan – dat is niet verstandig met kenners – maar een royale cadeaubon voor een bekende kledingzaak. Daaraan voorafgaand mag Roderick best een beetje geplaagd worden met zijn ijdelheid. Tegelijk kan er bewondering doorklinken voor zijn verzorgde uiterlijk. Ook kan er zonder gevaar verwezen worden naar zijn populariteit bij de studentes en zijn lichte gelijkenis met Jeroen Pauw. Hij doet daar namelijk nooit iets mee, en is dol op zijn vrouw. Dat is maar goed ook, want zij strijkt elk weekend zijn overhemden.*

Basislied: *Door te denken aan die uitzonderlijke hemden komt al snel het idee voor een melodie op: 'Het is een nacht' van Guus Meeuwis. Ook daar gaat het immers om iets uitzonderlijks. Bovendien kent iedereen het lied, en kan er in de refreinen flink*

meegezongen worden. Bij het schrijven van de tekst wordt het
een sport om af en toe een originele regel terug te laten komen,
die dan wonderwel in het nieuwe verhaal past. En op het eind
biedt het rijmwoordenboek ideeën voor een lekker lange 'uittro'
(die dan weer is afgekeken van Dodenrit van drs P.).

HET IS EEN HEMD

Je eerste gedachte betreft een manchet
Het is zes uur 's ochtends, je staat naast je bed
Voor een inloopkast
Vol topkwaliteit
Elk denkbaar motief
Nooit te strak of te wijd
De rail een onafzienbare lijn
Met overhemden die alleen van jou kunnen zijn

Je kiest Hugo Boss
Dan even die lach
Want dit hemd heeft alles
Wat je van een hemd verwacht

Het is een hemd
Dat je normaal alleen in films ziet
Het is een hemd
Waarmee je zo naar topposities schiet
Het is een hemd dat zichzelf terugbetaalt
In bonussen alleen
En je borsthaar schijnt er niet
Doorheen ohohoho

Je kijkt nog een keer en de twijfel die knaagt
Is Palazzi niet beter als je driedelig draagt?
Of toch een Borelli, en dan eens in groen?
Algauw weet je niet meer wat of je moet doen.

En nu sta je hier nog steeds voor die kast
Je hebt intussen zeker honderd hemden gepast
Helaas, er komt al zwart door het raam
Het lijkt of de wereld vandaag heeft stilgestaan

Het is een hemd
Dat je normaal alleen in films ziet
Het is een hemd
Waarmee je zo naar topposities schiet
Het is een hemd waardoor de meisjes zeggen:
Hij is leuker dan Jeroen Pauw
Maar voor de strijk heeft hij allang
een vrouw ohohoho

Ja, een hemd bestaat gewoon uit lappen
En merken zijn niet meer dan een naam
Maar jij gaat nooit naar Zeeman
Haalt ze in Milaan

Het is een hemd
Dat je normaal alleen in films ziet
Het is een hemd
Dat wordt bezongen in dit mooie lied
Het is een hemd waarvan ik dacht
Dat niemand het ooit dragen zou

Maar vandaag zie ik dat hemd
Op jou ohohoho

2x

Vandaag zie ik dat hemd
Op jou

Maar hoe bekostig je dat nou ohohoho
En waarom zie ik nooit een vouw ohohoho
We houden op want het wordt nu flauw ohohoho
Nou ja, dit dan nog even gauw ohohoho
Mooie manchetten aan je mouw ohohoho
Doe mij dat streepje maar in blauw ohohoho
Hoe kom je toch aan de knowhow ohohoho
Oke, dan zeggen we nu ciao ohohoho
Qua merken ben je niet zo trouw ohohoho
Dit lied loopt nu echt uit de klauw ohohoho
Dus wat ik eigenlijk zeggen wou ohohoho
Wij zijn allen dol op jou ohohoho

Wij zijn allen dol op jou.

Rijmen is leuk, maar wees niet te streng. Het Engelse light mag van ons bijvoorbeeld best rijmen op meid. Ook Guus Meeuwis laat de regel 'Ik staar naar het plafond' zonder blikken of blozen rijmen op 'En ik denk aan hoe de dag lang geleden begon.' Geen haan die ernaar kraait.

Blijf daarentegen wel binnen de wetten der grammatica. Dit advies richten we over de hoofden van de amateurs heen ook aan professionele songwriters. De regel 'Is het een vloek of een verlangen DIE de weg wijst door de tijd?' uit het verder prachtige nummer 'Steppenwolf', gezongen door Frank Boeijen en Stef Bos, blijft ons pijn doen.

Smokkeltip: rijm ruim

We zeiden het al: light kan best rijmen op meid. Zo zijn er heel veel woorden waar je niet meteen aan denkt, maar die in het feestgedruis goed voor rijmend kunnen doorgaan. Vooral met buitenlandse woorden kun je gemakkelijk smokkelen. Wie bedenkt dat op bungalow zulke uiteenlopende zaken rijmen als tremolo, aardvlo en gigolo? En dat gefoeter en getoeter rijmt op computer? En target op boeket of dekbed? En behalve dat op garage allerlei dingen op -age rijmen, kan ook borrelglaasje of baasje er goed mee door. Frans Halsema rijmde in het lied 'Onder de wollen deken': 'Moeder heeft een blouse/van Beate Uhse.' Onze tip: neem het niet te nauw, en rijm dus ruim.

Sluit met het metrum aan
op de originele tekst

In iedere dichtregel kun je naast het aantal lettergrepen ook een patroon van klemtonen ontdekken. Zo'n patroon heet metrum. Er zijn vaste, klassieke patronen, en een goede tekstschrijver houdt daar rekening mee. (Al zijn er ook veel uitzonderingen; zie bijvoorbeeld het oeuvre van de al eerder genoemde Guus Meeuwis.) Als amateur hoef je je hier niet in te verdiepen. We beperken ons dan ook tot dit advies: sluit zoveel mogelijk aan bij het metrum van het basislied. Dan voorkom je regels als die waaraan de titel van dit hoofdstuk is ontleend: 'Eerst in de bruidssuite, dan op kraamvisite'. Nog even afgezien van de wat drammerige inhoud is dit geen lekker lopende regel.

De zegeningen van internet

Soms is het moeilijk om de exacte tekst van een bekend lied precies te reproduceren. Toch is die heel handig om je eigen versie precies op maat te snijden. Zoek daarom op internet altijd even de exacte tekst van het basislied op; die vertelt je veel over het bedoelde metrum en het rijmschema. Een bekende regel intypen volstaat. Of zoek bij Engelse liedjes op de term 'lyrics'. Verder kun je vrijwel ieder bekend liedje even beluisteren via YouTube. Het is bovendien geen straf om een paar keer hardop mee te zingen om zo te checken of je eigen tekst precies past op het originele lied. En voor beginnende gitaristen: een andere zegening van internet is dat je van vrijwel ieder bekend lied de akkoorden kunt vinden: typ de titel van het liedje in, in combinatie met zoektermen als 'chords' (= akkoorden) of 'tabs' (= een afkorting van tablatuur, een veelgebruikte notatiemethode onder gitaristen). En wie echt ambitieus is: MuseScore.org kan je helpen om bij meerstemmige uitvoeringen elke partij afzonderlijk in te studeren, met aangepaste tekst en al.

Het metrum van het basislied is het gemakkelijkst te ontdekken door in je hoofd de tekst te vervangen door iets als tada tada tadiedieda. Kijk bijvoorbeeld naar de tekst van misschien wel een van de bekendste liedjes voor bruiloften en partijen, 'Het is uit het leven gegrepen', uit het ooit zo populaire televisieprogramma van Farce Majeure. We kiezen dit lied even omdat iedereen boven een zekere leeftijd het kent. Kees van Kooten noemde dit zelfs het tweede volkslied – maar hij is dan ook niet een van de jongsten meer.

Wie luistert hoort in deze wals klemtonen op de onderstreepte lettergrepen:

Het is uit het leven gegrepen,
Het is uit het leven een greep.
Het geluk is altijd met de lepen,
Ja daar zit 'm nou net ja de kneep.

Zo'n wals loopt het lekkerst met drie zware lettergrepen per regel. En die zie je hier dan ook. Wat je ook ziet is dat er een patroon zit in de afwisseling van onbeklemtoonde en beklemtoonde lettergrepen: twee zonder, een mèt. En: in de eerste regel wordt de laatste steeds gevolgd door een zwakke lettergreep (grepen en lepen).

Maak je hier een eigen tekst op, bijvoorbeeld omdat je vader bankdirecteur is en tegelijk opmerkelijk vaak geld blijkt te winnen, dan moet je daar rekening mee houden:

Papa houdt van gokken en krassen
Geen staatslot is hem ooit te duur

Dicht je dan verder:

Het geluk is altijd met papa

dan merk je dat dat niet klinkt. Dat komt doordat de klemtoon (op de tweede 'pa') niet past in het metrum. Er moet immers nog een onbeklemtoonde lettergreep volgen, zo dicteert het lied. In de performance kun je dat opvangen door te zingen:

Het geluk is altijd met papa-ha

maar zo kunnen we natuurlijk niet voor de dag komen. Er moet dus iets anders. Dat kan ook goed, want de aardigheid zit hem er juist in dat de vader bankdirecteur is:

Het geluk is altijd met de bankman
Hoera voor de bonuscultuur!

Overigens lijkt het erop dat de dichters van het oorspronkelijke lied ook met het metrum worstelden, met twee keer dat 'ja' plus 'nou net' als stoplap. Wij vermoeden echter dat het duo Bannink & Pola als vakkundige liedjesmakers die stoplappen hier als stijlmiddel hebben toegepast. Oorspronkelijk ging het immers om een lied van als volks neergezette straatzangers. Het voordeel voor de feestdichter is dat die ook vrijelijk lettergrepen toe kan voegen en weg kan laten.

Probeer één lettergreep per noot te schrijven

$\mathcal{E}$en kerstlied als 'Gloria in Excelsis Deo', waarin het woord 'Gloria' wordt uitgesmeerd over achttien noten ('glo hohohoho hooo, hohohohgoho hooo, ho-hohoho horia') zouden wij niet gauw schrijven, en niet alleen omdat wij voor zoiets elk talent ontberen. In feestliederen is dit vragen om moeilijkheden, zeker als er samen wordt gezongen.

In het algemeen is het sowieso af te raden om een basislied te kiezen waarin flinke uithalen zitten; dan wordt het qua zingen al gauw een zootje. Kies liever voor een strak gecomponeerde deun met bij voorkeur een lettergreep per noot – en volg dat patroon. Dat voorkomt aarzelmomenten in de uitvoering, en dus ongelijk zingen, de gesel van menig feestlied.

Zo dus niet

Christine en Fred, Christine en Fred,
Christine en Fred, Christine en Fred,
Christine en Fred, Christine en Fred,
Christine en Fred, Christine en Fred,
Christine en Fred, Christine en Fred,
Christine en Fred, Christine en Fred,
Ja, die gaan om twaalf uur vaak naar bed

Niet doen: een lied maken op 'Busje komt zo'. De eindeloze herhaling van hetzelfde zinnetje maakt het vertellen van een verhaal in het lied tot een epische aangelegenheid. En komen we dan eindelijk bij een nieuw stukje informatie, dan blijkt dat ook nog uiterst teleurstellend. Geen belangwekkend weetje, maar de constatering dat Christine en Fred (want mochten we daar nog over twijfelen: het gaat inderdaad over hen), vaak rond twaalf uur in hun bed liggen – net als zo'n zes miljoen van hun landgenoten. En als ze nou nog maar altijd om twaalf uur stipt in hun nest lagen, dan had het nog iets dwangmatigs. Maar vaak: daar kunnen we geen chocola van maken, qua lied.

Anders is het als je lettergrepen te veel hebt: hoewel ook dat een noodmaatregel blijft, lukt dat vaak iets beter. Zing je een liedje op de wijs 'Meisjes van dertien' (van Paul van Vliet), dan kan 'Helena wordt vijftig', wel weer, ook al zit daar een lettergreep te veel.

Speel met de woordvolgorde

$\mathscr{B}$eginnende dichters – zo weten wij uit de Sinterklaastraditie – vertonen de neiging om de kern van de zaak op de laatste positie in de zin te zetten. Bij een lied over de onhebbelijkheid van de bruidegom om werkelijk overal zijn iPad mee naartoe te nemen zoeken ze rijmwoorden op iPad. Dat is niet altijd handig.

In het Nederlands – en trouwens voor zover wij weten ook in de meeste andere talen – zijn er variaties in woordvolgorde mogelijk. Maak daar gebruik van. Je kúnt dus schrijven:

Peter zit vastgegroeid aan zijn iPad
Hij gaat er zelfs mee naar bed.

Dit loopt niet lekker, en de tweede zin is een cliché (zelfs al het letterlijk klopt). Stop die iPad dus ergens in het midden, en je hebt opeens meer vrijheid om aan te sturen op een vervolg dat inhoudelijk interessanter is:

Geen seconde of hij kijkt erop.
Ja, hij heeft een iPad voor zijn kop.
Al blijft hij even schrander:
Kijk naar de iPad in je eigen oog, zegt hij
niet naar de iPad van een ander.

Op die manier hou je het lied op koers: het thema en de opinie die de zangers daarover hebben blijft centraal staan, zonder dat rijmdwang opeens voor vreemde zwenkingen zorgt of voor regels die geen andere functie hebben dan dat ze eindigen op een woord dat rijmt.

Als je verder in het lied nog te binnen schiet dat Peter er tegenwoordig altijd zo raar uitziet, met dat blauwig schijnsel van de iPad op zijn gezicht, dan is het zaak om niet te gaan rijmen met het woord 'schijnsel'. Ook hier moet je juist op zoek naar woorden op het eind van de regel die gemakkelijk te paren zijn en die het verhaal van de iPad-obsessie weer een stapje verder brengen:

In het blauwige licht lijkt hij de killer
Uit een derderangs horrorthriller.

Zo dus niet

Judith weet alles wat je niet weet
Van hier tot Tokio zij kent elke scheet
Judith is een wandelend nieuwsblad
Van nieuws wordt zij nooit zat

Thematisch zit het geramd in dit couplet, dat moeten zelfs wij toegeven. Judith is duidelijk *in the know,* en daar gaat dit lied dan ook over. Hulde, tot zover. Maar dan de uitwerking. De rijmdwang heerst hier met ijzeren vuist, en dat is jammer. Met een rijmwoordenboek had het zo gemakkelijk anders gekund ('Judith weet veel meer dan de Privé, zij kent de sores van elke employee. Judith is een wandelend nieuwsblad, maar valt nooit op de mat').

Gebruik opsommingen

Een andere manier om rijmdwang en dus afdwalen te voorkomen, is gebruik te maken van opsommingen. Opsommingen hebben het kenmerk dat de onderdelen ervan in willekeurige volgorde ten tonele gevoerd kunnen worden.

Stel je Floortje en Janna voor. Ze wonen buiten en hun huis zit altijd vol met gasten uit de stad. Het lied moet gaan over de vraag of alleen zuivere gevoelens van vriendschap mensen naar hun buitenplaats voeren, of dat ze vooral een gratis bed-and-breakfast runnen. Natuurlijk moet het antwoord in de punchline zijn dat het alleen liefde is die mensen ertoe beweegt naar hun lusthof in de Achterhoek te reizen – al mag daarin best wat ironie doorklinken.

Het basislied dat zich al snel aandient is 'Thuis', een tranentrekker van Guus Meeuwis, met een goed behapbare bandbreedte, qua toonomvang. Van het oorspronkelijke refrein ('Is het opa's oude tekening/Of is het papa's grote stoel/Welnee, het is vooral/Wat ik bij jullie voel') kun je dan maken:

Is het Floortjes kunstverzameling
Is het Janna's hazenbout
Welnee, het is vooral
Dat ik zo van ze houd.

In de coupletten kun je vervolgens een typische dag bij Floor en Janna bezingen, van het uitgebreide ontbijt met zelfgemaakte jam tot het afzakkertje bij het haardvuur. En in elk refrein kunnen andere aspecten van hun gastvrijheid onder de loep genomen worden:

Is het Floortjes bloementuin
Is het Janna's hazenbout
Welnee, het is vooral
Dat ik zo van ze houd.

Om het qua rijm niet te moeilijk te maken is Janna's bijdrage gereduceerd tot haar fameuze hazenbout. Een beetje plagen mag best, en het zorgt bovendien voor een duiding die twee kanten op kan: of die hazenbout is werkelijk geweldig, of Janna maakt zich er verder een beetje vanaf.

Maak indruk met vaktermen!

Niet zelden hebben bevriende feestvierders hobby's waar je als liedschrijver niets vanaf weet. Dan moet je research doen. Gelukkig biedt het internet gelegenheid genoeg om te woekeren met kennis. Wie de indruk weet te wekken dat hij zich verdiept heeft in iets waarvan iedereen dacht dat hij er niets van wist, ja, die scoort natuurlijk met zijn lied. Dus wil je een lied maken voor die vriend die dol is op zeezeilen, maar heb je zelf nog nooit een roeiboot van binnen gezien? Even doorklikken op zoektermen als zeezeilen, tuigage en zeiluitrusting bracht ons op websites als 'De taal van het water' ('Interactieve encyclopedie van de watersport, visserij, koopvaardij, marine en bruine vloot'), met prachtwoorden als 'afflauwen', 'daags getij', 'paalmast', 'zalinglicht' en 'draadversperring' – dit laatste is een kombuisgerecht met uitjes, reuzel en heel veel sambal. Of, nog mooier, de website 'Scheepstermen', met een compleet te downloaden woordenboek. Kies als basislied 'Met de vlam in de pijp', en ga los: 'Met de wind in het zeil, vaar je door het daags getij, met je zelfrichtende Efsix, kan je bij de koopvaardij'. Stop er ook iets in met 'gaffel' en 'we gaan overstag, dus hou je waffel'.

In het geval van een overhemdenfetisjist als de hierboven al ten tonele gevoerde Roderick kan een opsomming van de merknamen van herenoverhemden leiden tot verrassende rijmen. Wie zich er even in verdiept (dat wil zeggen: wie een passende zoekterm intypt) staat verbaasd over de hoeveelheid merken, en begint bovendien spontaan te rijmen, alweer met behulp van het woordenboek: Barsoi ('die houdt je in de plooi'), Hugo Boss ('niet voor de sloddervos'), Profuoma ('een snit om van de dromen'), Gentiluomo ('voor een hoog activiteitsniveau'), Barba di Napoli ('met een ontzagwekkende absorptie'), Borrelli Finamore ('met een hoog gehalte Italiaanse folklore'), Victor Palazzi ('waarmee ik Roderick soms zelfs in bad zie'), Ledub ('een hemd voor de warming-up'). Maar er zijn ook minder exclusieve hemden, zoals die van Vroom en Dreesman ('elke dag feest man!') of Zeeman ('een hemd waar je mee in zee kan'). Als dat niet binnen een kwartier een lied oplevert weten wij het ook niet meer.

Let op de klemtoon

*E*en tijdje geleden waren wij beroepshalve op een zilveren bruiloft waar men het bruidspaar hartelijk toezong op de wijze van 'My Bonny is over the Ocean' (overigens erg goed om tweestemming te zingen, maar dit terzijde). Het lied liep in veel opzichten al niet zo lekker, maar het hoogtepunt van kreupelrijm en verkeerde klemtonen kwam in het refrein. Dat luidt in de oorspronkelijke versie van het lied, zoals u weet: 'Bring back, o bring back, o bring back my Bonny to me, to me (2x).'

Men had wijselijk gekozen voor een niet al te ingewikkelde invulling van de tekst. Gewoon recht toe recht aan: 'Hoera, hoera, hoera voor het zilv'ren paar, ja paar.' Met een prijzenswaardig gevoel voor metrum had men wel die extra lettergreep van zilveren eruit gelaten, en dat 'ja paar' toegevoegd, maar vervolgens was men volledig voorbij gegaan aan het verschijnsel klemtoon. Want niemand zong natuurlijk hoerá; dat kan niet op deze melodie. Men zong, luid en duidelijk, hóer-a, met een pijnlijke nadruk op de lettergreep die in het oorspronkelijke lied ook klemtoon krijgt. De a verdween vrijwel in het feestgedruis. En dat niet één keer, maar vele malen.

We weten zeker dat dit niet de bedoeling geweest zal zijn, want het waren goed katholieke mensen. Maar alle oude ooms en tantes zongen het braaf, terwijl de puberale neefjes zaten te proesten. De vuilbekken!

Voorgekookt

Wijs: *'Vluchten kan niet meer'*

> *Zuipen kan niet meer, 'k zou niet weten hoe*
> *Zak je toch een keertje door, dan ben je dagen moe*
> *Hoever kon je gaan*
> *Die lange nachten met oude makkers*
> *Golfers vonden we toen rare kakkers en slecht geklede*
>   *volksverlakkers*
> *Hoever kon je gaan*
> *Zuipen kan niet meer*
>
> *Ook in jouw villa staat een geruite golftas*
> *En in je Volvo zie ik golfclubs blinken*
> *En in het clubhuis neem je bitter lemon om te drinken*
>
> *Zuipen kan niet meer, 'k zou niet weten hoe*
> *Golfen alleen nog wel, golfen met elkaar*
> *Zuipen kan niet meer*
> *Zuipen kan niet meer*

Heerlijk lied, dit, want voor van alles inzetbaar dat vroeger wel kon en nu niet meer. Naarmate je ouder wordt breidt de lijst zich vanzelf uit als de toegezongene weer tien haar ouder is geworden en nu ook al niet meer kan roken, werken of lopen.

De les uit deze anekdote: een regel in een liedtekst heeft klemtonen en daar moet je rekening mee houden. In een oude aflevering van het tijdschrift *Onze Taal* schreef Ivo de Wijs er ooit een mooi artikel over. Daar ging het over reclamedeuntjes als die over het koffiemerk Supra: 'Supra die zich onderscheidt door ouderwetse kwaliteit.' 'Hoort u ook die noodlottige ij in onderscheidt?' vroeg hij zich af. En in de zin 'Rambobeits da's goed bekeken, Rambobeits doet hét hout spreken' ligt de klemtoon ook al waar die niet hoort. En dat terwijl altijd wel een oplossing voorhanden is. In plaats van hóer-a was het veel beter geweest om te zingen: 'Bruidspaar, bruidspaar, van harte gefeliciteerd, vandaag!' Het is inhoudelijk nog steeds niet groots, maar de klemtonen kloppen tenminste.

Afkijken van de pro's

Feestliederen worden doorgaans door amateurs gemaakt, maar professionals bewerken ook geregeld bestaande liedjes. En dan hebben we het niet over de vaak treurig-slechte vertalingen van Engelse songs ('en de kus die je geeft waar een bijsmaak aan kleeft'). Nee, we doelen op bedoeld komische bewerkingen. Klassiek in dat opzicht is de hertaling van 'Are you Lonesome Tonight' door André van Duin:

Zijn je dekens te kort

Zit er geen spat op je bord

(spatbord)

Staat er bij de buurvrouw een paard in de gang

Heb je d'r een in plaats van twee

Is je goudvis van doublé

Gaan alle bloemen zelfs dood op 't behang

Gaat elke keer als je knipoogt ook je andere oog dicht

Heb je tweehonderd kippen maar je haan is een nicht

Is je vrouw er vandoor

Met een toreador

Nou, dan heb je je dag niet vandaag.

Tot slot nog een tip die het instuderen kan vergemak-
kelijken: zet op het papier met de tekst onder de beklemtoonde maatdelen een streepje. Maar maak het
niet zo ingewikkeld als een oudoom van een van ons,
die in zijn rondgedeelde lied twee kleuren hanteerde:
één voor lettergrepen met klemtoon, één voor lettergrepen die over meerdere noten gezongen moesten
worden. Het was een prachtlied, maar de uitvoering
ging menigeen boven de pet.

5.
Van voor
naar achter,
van links naar
rechts

Over
de performance
op het feest

Zorg voor regie

*E*en goed optreden vereist regie. Er is nog nooit een goede act ontstaan door met twintig man onvoorbereid een podium op te stommelen en van een blaadje te gaan staan zingen, elk naar eigen inzicht meedeinend op de muziek. Om richting te geven aan de voorbereiding moet iemand uit de club, of een klein subgroepje, zich over de regie ontfermen. Dat betekent: beslissingen nemen over de enscenering, de inzet van zangstemmen, het gebruik van attributen, en nog zo wat meer.

Zing niet alles met iedereen

*D*e belangrijkste beslissing die je kunt nemen over de performance is wie er gaan zingen. In de praktijk is het gebruikelijk het gehele lied door de gehele groep te laten zingen. Dat begrijpen we ook wel: alle dertig collega's of alle zeventien kleinkinderen willen laten zien dat ze hun collega of grootvader een warm hart toedragen.

Maar deze vorm van kuddegedrag is vrijwel altijd een slecht idee. Om te beginnen is het vaak een enorm gedoe voordat de hele groep zich heeft opgesteld. Er zijn optredens waarbij het wel een minuut of vier, vijf duurt voordat iedereen staat. Zelf heeft men hier nog wel plezier om, vanwege een nerveus soort voorpret, maar voor de toeschouwers is het langdurige gestommel en gegiechel hoogst irritant. Zij moeten er immers hun gesprek of drankinname voor onderbreken.

Ook bezwaarlijk is dat met zo'n hele groep zingen saai is, omdat er nauwelijks dynamiek (afwisseling tussen hard en zacht) in het zingen komt. De expressie lijdt er ook enorm onder. Maar het grootste probleem is dat het onvermijdelijk ten koste van de verstaanbaarheid gaat. Het volume is daarvoor namelijk een stuk minder belangrijk dan dat er strak en gelijk gezongen wordt, en dat is moeilijker naarmate de groep zangers groter is. En ten slotte: als iedereen meezingt is de kans heel groot dat er ook een paar tussen zitten die onverbeterlijk vals zingen.

Een veel beter idee is dan ook om met beurtzang te werken. Bijvoorbeeld door een klein aantal bekwame zangers, of een solist, de coupletten te laten zingen en alleen bij het refrein voltallig in te zetten. Of door afwisselend de mannen en de vrouwen te laten zingen. Of nu eens de familie van hem en dan weer de familie van haar. Of in het geval van een jubilerende collega: de ene afdeling tegen de andere. Zulke vormen van beurtzang geven meteen al een hoop extra dynamiek en bevorderen de verstaanbaarheid aanzienlijk. Ook is beurtzang vaak een even probaat als eenvoudig middel om het verhaal dat in het lied verteld wordt extra kracht bij te zetten.

Tips voor de luisteraar

Ben je een nietsvermoedende gast?

Ons advies: *houd even op met eten en probeer aandachtig te luisteren. Praat er niet doorheen. En ga vooral niet luidkeels commentaar geven om te demonstreren dat je heel gevat uit de hoek kunt komen. Als je zo graag in het middelpunt van de belangstelling staat, had je zelf maar een stukje moeten voorbereiden.*

Ben je degene die wordt toegezongen?

Ons advies: *houd moed. Het valt niet mee om te genieten van een lied dat speciaal voor jou is gemaakt. Je hebt er meestal al heel wat feesturen opzitten, met eindeloos begroeten en bedanken. En net als het informele deel begint en je het op een drinken kunt zetten, moet je weer glimlachend gaan zitten luisteren. Want natuurlijk wil je laten zien dat je plagerijen sportief opvat, en dat je dankbaar bent voor de moeite die de club zangers zich heeft getroost. Onderga het, geniet ervan als het even kan, en bedenk dat ook aan het slechtste feestlied een keer een eind moet komen.*

Natuurlijk kun je ook een kleine afvaardiging laten optreden. Zeg er in het inleidende praatje bij dat het lied namens de hele familie of de hele afdeling wordt gezongen, en de goede bedoelingen gaan niet ten koste van de kwaliteit. Wil iedereen toch per se iets van zich laten horen, laat men dan vanuit de zaal meedoen, bijvoorbeeld door onverwacht op te staan en een komisch sjoepdoewiedoewa te laten horen, of een tweede stem in te zetten. Of bouw het op: eerst twee mensen die opstaan en meezingen, dan vier, enzovoort.

Vermeldenswaardig is ook de variant van beurtzang waarbij bepaalde leden van de groep – te weten: de echt slechte zangers – in het geheel níet aan de beurt komen. Een mogelijkheid is ook om een slechte zanger juist een heel klein stukje solo te laten zingen, maar dan wel met goed geacteerde zelfspot en extra vals, zodat het publiek meteen begrijpt waarom zijn zingende bijdrage zo beperkt is gehouden. Gelukkig hebben slechte zangers vaak wel weer talenten op een ander vlak. Dan is het een oplossing om hun andere taken of rollen toe te bedelen. Bijvoorbeeld de rol van dirigent. Hoe dan ook, zorg ervoor dat slechte zangers niet de boventoon voeren.

De top 5 van liedjes
met achtergrondkoortjes

Een optreden wint al snel 200% aan kracht als er een achter-
grondkoortje bij is. Veel meer dan 'oe-oe' is niet nodig om succes
te oogsten. Wees creatief met elk repertoire, of gebruik deze
klassiekers:

1. **'She Loves You Like a Rock'** *van Paul Simon. Elke regel*
wordt herhaald door het achtergrondkoortje, op gospelachtige
wijze. Niet moeilijk om te zingen, swingt als een dolle, maxi-
maal effect.

2. **'Sympathy for the Devil'** *('oe-oe') van de Rolling Stones.*
Bouw het langzaam op: in het tweede couplet de eerste 'oe-oe',
zeker goed voor een lach, daarna frequentie opvoeren, en ook
in het refrein inlassen.

3. **'Ich bin wie du'** *('ahaha'), in de versie van Marianne Rosen-*
berg. Lekker oubollig.

4. **'Mission a Paris'** *van Gruppo Sportivo: superieur samen-*
spel tussen leadzang en achtergrondkoortje. Lied met complex
maar uiterst zingbaar verloop, en zelfs nog parlando op het
eind. Wat wil een mens nog meer! Ook leuk met een kazoo.

5. **'Dancing Queen'** *van Abba. Vooral in de intro kan het ach-*
tergrondkoortje stralen. Zet het vervolgens ook in voor de twee-
de stem.

Sluit aan bij het centrale thema

*H*et centrale thema is het uitgangspunt voor de manier waarop het lied wordt uitgevoerd. Wordt bijvoorbeeld het verhaal verteld van een paar dat heel laconiek keer op keer allerlei kleine praktische tegenslagen overwint, dan moeten de manier van zingen, de lichaamshouding van de zangers, de gebaartjes die ze maken en eventuele vooraf aangeschafte attributen die laconieke houding ondersteunen. Het geheel moet in zo'n geval een Buurman & Buurman-achtige uitstraling krijgen. Zingen we over carrièremakers met veel luxe hebbedingetjes, dan moet er iets patserigs zitten in hoe we zingen en hoe we erbij staan op het podium.

Begin dus opnieuw bij de vraag: wat was ook alweer de kern van het verhaal en het gevoel dat uitgedrukt moest worden? Bedenk vervolgens hoe juist dát zo pakkend (en geestig) mogelijk in de performance tot uitdrukking te brengen is. Zing je bijvoorbeeld over de mobiele telefoon van je vertrekkende collega, die altijd op de meest ongelukkige momenten zijn irritante rap-ringtone laat horen? Zorg dan dat tijdens het optreden zijn telefoon – die hij zelfs nu natuurlijk niet uit heeft staan – wordt gebeld, en die van andere mensen in het publiek. Stel iemand aan die dat regelt vanuit de zaal, en het wordt een dolle boel. Of laat juist de zangers onderbreken door rinkelende telefoons. Misschien kunnen ze hun storende gesprekjes, die het optreden zogenaamd stilzetten, zelfs wel rappen:

En ik ben hier in de trein en waar ben jij,
En ik zit in overleg en waar ben jij,
En ik koppel nog wel terug en waar ben jij,
En ik ben een grote fan van bereik-baar-heid.

Hoewel een beetje ambitie op dit punt heus geen kwaad kan, is het ook belangrijk realistisch te zijn, en te werken binnen de beperkte mogelijkheden. Als de regisseur van een grootse opera levende paarden op het toneel wil, dan worden die paarden gewoon ergens besteld. Of als in een musical de held Tarzan en zijn apenvriendjes aan neplianen over de hoofden van het publiek naar het podium moeten zweven, dan heeft het Circustheater in Scheveningen de techniek in huis, en het budget, om dat te realiseren.

Op bruiloften en partijen is de uitgangssituatie qua geld, techniek, talent en ervaring vele malen ongunstiger. Het zij zo. De kunst is juist om ondanks die beperkingen toch iets te brengen dat de middelmaat ontstijgt. Daar moet vooraf over nagedacht worden. Zie dit als een aparte taak, die net zo belangrijk is als het maken van de tekst en het kiezen van de melodie. Maar wat komt er allemaal kijken bij een goed geregisseerd optreden? We lopen hieronder de elementen langs.

A capella

A capella zingen betekent zingen zonder instrumenten als begeleiding. Zonder begeleiding is moeilijker dan met, omdat je natuurlijk qua stemmen echt alles hoort, en geen steun hebt om de juiste toonhoogte vast te houden. Soms blijkt een koor aan het einde van een a capella-stuk wel een halve toon of meer gezakt (of gestegen, al komt dat minder voor). En niet zelden wordt een stuk aan het eind sneller gezongen dan aan het begin. Maar a capella zingen heeft ook voordelen: alle aandacht gaat naar het zingen uit en de kans is groot dat de tekst goed wordt verstaan, omdat er geen andere muziek in het spel is. Dan wel gelijk zingen, of om beurten, en de saaiheid die onverbiddelijk op de loer ligt bestrijden met meerstemmigheid in het refrein.

Zing verstaanbaar

*H*et is absoluut noodzakelijk om alles op alles te zetten om verstaanbaar te zingen. Dat betekent, zoals gezegd: niet de hele tijd allemaal tegelijk zingen. Het betekent ook: goed articuleren, bijna onnatuurlijk langzaam zingen en niet in de valkuil trappen om lopende het lied steeds meer te gaan haasten. De verstaanbaarheid is bij het oefenen het belangrijkste aandachtspunt. Schakel daarvoor als het even kan een nietsvermoedende luisteraar in, want zelf ken je de tekst te goed om te kunnen checken wat iemand die de woorden voor het eerst hoort ervan maakt.

Microfoon? Nee tenzij dan wel ja mits

Er zijn partycentra in Nederland waar men – goed bedoeld – het zingende clubje een microfoon in de hand duwt. Door- gaans is het wonder boven wonder het slechtst zingende lid van het gezelschap dat deze microfoon te pakken krijgt, om vervol- gens met zijn valse gebrom of gejodel de goed geschoolde stem- men van de rest te overstemmen. Nee, zangers en aspirant- zangers, als het op versterken aankomt, zeggen wij: doe het niet. Niet alleen is het goed versterken van een zangstem een vak dat veel uitbaters van feestgelegenheden niet beheersen, ook het zingen in een microfoon vergt gespecialiseerde tech- niek. Het wordt er gewoon niet mooier op en ook de verstaan- baarheid neemt niet toe. Als het te rumoerig is, vraag dan aan- dacht voor je lied en begin pas als men rustig is, ga dicht bij het bruidspaar staan of zing wat harder, maar laat de microfoon liggen.

Wees voorzichtig met instrumentale begeleiding

*H*et is evident dat de muzikale belevingswaarde van het optreden een forse impuls kan krijgen als iemand meespeelt op een daarvoor geschikt instrument, te weten: piano/keyboard, gitaar, accordeon. Met name een keyboard herbergt enorm veel mogelijkheden: alle genres zijn erop in te stellen, zodat het voortbrengen van een echte country-and-western- of discosound opeens een koud kunstje is. En dat geeft algauw een komisch effect. De toegevoegde waarde van melodie-instrumenten zoals violen of klarinetten is aanzienlijk beperkter, om over de blokfluit nog maar te zwijgen. Een optie is overigens ook om een instrumentele versie (karaokeversie) van het originele lied te gebruiken. Je zou zeggen: dat is allemaal heel erg leuk, en dat is vaak ook waar. Maar naar onze bescheiden mening worden de risico's van begeleiding ook nog wel eens onderschat.

Wat zijn die risico's? Dat er vals gespeeld wordt (door iemand die het dus eigenlijk niet kan) of te hard. Maar vooral toch dat de begeleider te weinig muzikale flexibiliteit heeft om zich aan te passen aan eventuele haperingen in het gezang of om in tempo te variëren als de inhoud van het lied om vertragingen of versnellingen vraagt. Dit bezwaar geldt voor dat nichtje dat heel mooi op een keyboard speelt, maar zich helemaal vastklampt aan de bladmuziek die op haar lessenaartje staat, de zangers om zich heen vergetend. Hetzelfde bezwaar geldt voor de karaokeversie: die is zoals ze is en kan op geen enkele manier 'meebewegen'.

To karaoke or not to karaoke

Wie niet over muziekinstrumenten kan beschikken voor de uitvoering en opziet tegen het wat blote a capella, kan overwegen het lied uit te voeren met een karaoke-versie. Dat is een versie met alleen de muziek en niet de zangstem. (Het handige neefje dat van alles downloadt, kan vrijwel altijd op internet ergens een al dan niet legale karaokeversie van een lied opduikelen.) En er zijn ook cd's te koop met zulke nummers. Maar is zingen met karaoke aan te raden? Ja en nee, is ons lafhartige antwoord. Ja, omdat zo'n karaokeversie steun kan geven bij het zingen. Maar alleen op drie voorwaarden: dat het intro een logisch punt heeft om te beginnen, dat de zangers gelegenheid hebben om te oefenen en dat er een goed regelbare geluidsinstallatie in de zaal is. Pas op voor te harde muziek, dan gaat de tekst vrijwel zeker verloren! Nee, omdat zo'n karaokeversie zich op geen enkele manier kan aanpassen aan de zangers, noch in tempo, noch in toonhoogte. Eenmaal ingezet mag er niets misgaan, want je bent er voor altijd uit en moet opnieuw beginnen. Een flater!

Is er daarentegen in de groep toevallig iemand die (a) goed piano, gitaar of accordeon speelt en (b) bedreven en ervaren is in het begeleiden van groepen, dan moet je daar beslist gebruik van maken. Wel goed oefenen, zodat de instrumentalist en de zangers elkaar goed gaan aanvoelen. Laat bij dit oefenen ook iemand op enige afstand beluisteren of de balans goed is. Het instrument mag de zang niet onverstaanbaar maken.

Bij ontstentenis van begeleiding is het wél extra belangrijk om een hulpmiddel te gebruiken teneinde de juiste noot voor de inzet te vinden. Een mobiele telefoon met een opname van het lied is bruikbaar. Of desnoods toch maar een blokfluit.

De tien goedkoopste instrumenten

Een bescheiden aankleding van de uitvoering met een of ander instrument doet wonderen. Ook als je geen ervaren instrumentalist bent. Die instrumenten zijn vaak al voor verrassend lage prijzen te koop.

- **Kazoo** *(Geeft een geinig effect als iedereen een couplet kazoet. Vanaf € 2,95)*
- **Sambaballen** *(Voor een strak ritme. Vanaf € 6,95 per twee)*
- **Tamboerijn met schellen** *(Deed het bij de Youth for Christ altijd al goed. Vanaf € 11,95)*

- **Blikken trommel** *(Is echt niet kinderachtig en kan chaos terugbrengen tot een glasheldere beat. Vanaf € 4,95)*
- **Ukelele** *(Toppunt van lulligheid, maar geeft zowel steun voor toon als ritme. Al voor € 17,50. Bespelen vraagt enige oefening.)*
- **Neusfluit** *(Vergt flink oefening, maar succes verzekerd. Al voor € 7,50)*
- **Guiros** *(Voor een swingende samba. Vanaf € 3,95)*
- **Vogelfluit** *(De trombone onder de fluiten, altijd geestig. Vanaf € 3,95)*
- **Mondharmonica** *(Denk aan de stemming, ze gaan per toonsoort! Vanaf € 6,–)*
- **Blokfluit** *(Alleen gebruiken als het écht niet anders kan en dan nog met mate. Vanaf € 9,95)*

Lijkt aanschaf te begrotelijk of de speltechniek te ingewikkeld, dan kan percussie ook heel goed met pakken rijst, als het lied bijvoorbeeld gaat over het wekelijks bezoek van het zilveren bruidspaar aan de plaatselijke Chinees. Of verzorg de beat met blokken haardhout als het lied gaat over het feit dat bruid Yolande als een kerel iedere zaterdag met veel lawaai enorme hoeveelheden hout voor de kachel klein zaagt, terwijl bruidegom Kees geduldig binnen zit te lezen. (Op de wijze van 'Ach Margrietje de rozen zullen bloeien' zong de familie 'Ach Yolande, de motorzaag zal loeien…')

Coördineer de bewegingen

*N*iemand verwacht bij een feestlied een gecompliceerde choreografie. Maar met een paar tips kan het groepje dat optreedt er gemakkelijk als een eenheid uitzien. Houd om te beginnen geen witte blaadjes in je hand. Iedereen doet dat op een andere manier, waardoor het er al snel rommelig uitziet. Zet een of meer muziekstandaards neer, en sla allemaal de armen over elkaar: meteen al beter! Of haak in en dein daardoor vanzelf in hetzelfde ritme en in dezelfde richting: onmiddellijk winst!

Differentieer daarbij niet alleen in het zingen (niet alles door iedereen), maar ook in hoe je staat. Zet de solozangeres vooraan, en maak een echt achtergrondkoortje. De eerste keer dat ze 'oe-oe' zingen lacht de zaal geheid, en helemaal als ze dan ook nog synchroon weten te heupwiegen. Laat het achtergrondkoortje gaandeweg het lied steeds meer meedoen, zodat de uitvoering duidelijk naar een apotheose gaat ('Allemaal!').

Natuurlijk is het ook mooi als de expressie aansluit bij het thema. Op z'n minst blijkt uit stemgebruik, mimiek en lichaamstaal van de zangers dat ze precies weten waarover ze zingen. Ook gebaren kunnen de inhoud ondersteunen, maar gebruik geen clichégebaren. Bevat de tekst duidelijk verstaanbaar het woord 'telefoon', dan is het niet strikt noodzakelijk met de duim aan het oor en de pink voor de mond te verbeelden dat er sprake is van 'telefoon'.

Gebaren, ook van de eenvoudigste soort, worden al snel een stuk leuker als ze door een hele groep precies tegelijk op precies dezelfde manier worden uitgevoerd. Dus dat telefoongebaar is wel weer aardig als je het met zijn tienen doet, en volstrekt synchroon. Voor eventuele danspasjes geldt hetzelfde. Daarbij hoeft het echt niet ingewikkeld te worden. Een stap vooruit met links en dan weer terug kan al genoeg zijn, zolang ze strak en met zijn allen tegelijk worden uitgevoerd. Dat geeft een schijn van professionaliteit, terwijl het toch gewoon je drie zussen zijn die daar staan. Speciaal aanbevolen zijn gebaren, pasjes en bewegingen die het publiek al snel kan gaan meedoen. Of overweeg vooraf een kleine dansinstructie voor de zaal; dat leidt al snel tot vrolijkheid en garandeert betrokkenheid bij het publiek.

Ja, zo kan het natuurlijk ook

Wil je echt uitpakken op een huwelijk of andere feestelijke gelegenheid, dan kun je natuurlijk ook denken aan een coproductie met een echte artiest. Guus Meeuwis laat via zijn impressariaten nadrukkelijk weten geen bruiloften en partijen te doen, maar menig zanger of zangeres met een minder riante uitgangspositie is best in voor zo'n schnabbel. Zelf zijn wij ooit diep onder de indruk geraakt door een geweldige act op een bruiloft, waarbij de feestzangers er eerst een bedroevend potje van maakten, op de melodie van 'Annabel (ik ben niets zonder jou)'. De tenen hadden zich al gekromd en we vroegen ons af hoe gestudeerde mensen zo weinig zelfkennis konden bezitten, toen ze opeens stopten en het zelf toegaven: dit was niks. Maar ze hadden iets achter de hand, zeiden ze. De muziek begon weer, en daar kwam opeens de enige echte Hans de Booij het podium op, om het zaakje vakkundig over te nemen. Na afloop hadden wij grote waardering voor het illustere vriendengroepje. Niet alleen hadden ze eerst een perfecte persiflage op een bedroevend feestlied ten beste gegeven, daarna wisten ze de stemming bovendien naar een ongekend hoog niveau te tillen.

Zoek naar eenvoudige attributen
en uitdossingen

*E*en stapje verder gaat de inzet van attributen (rekwisieten) en uitdossingen. De mogelijkheden zijn legio. Leuk zijn dit soort extra's eigenlijk alleen als ze op een heel specifieke manier de inhoud van het lied ondersteunen. Zo kan iedereen een mitella omdoen, of de duim in een verbandje, als de onhandigheid van de bruid het thema is. Dan is er in elk geval een link. Origineel of geestig is het niet.

Aardiger wordt het al als tijdens het dramatische hoogtepunt van het lied een prijzig ogend stuk servies van een wankel tafeltje op de grond in scherven valt. Nóg aardiger is het als de groep overtuigend weet te spelen dat die dreiging de hele tijd in de lucht hangt, en dat het dan juist níet gebeurt. Of als er pas iets stuk gaat als het lied al klaar en het applaus geïncasseerd is, en niemand er meer op rekent.

Op de avond zelf is het te laat; de inzet van gadgets & gimmicks moet van tevoren goed overdacht worden. Laat je fantasie de vrije loop, wees creatief, pik gerust komische ideetjes van anderen. Maarrr… houd het simpel. Een valkuil is immers dat uitbundige toestanden het publiek te veel afleiden. En het maakt het er ook voor de zangers zelf niet eenvoudiger op. Gedoe met hulpstukken en ingewikkelde choreografieën vereist veel concentratie, terwijl de concentratie hoofdzakelijk gereserveerd moet worden – we zeggen het nog maar eens – voor mooi én verstaanbaar zingen.

Wel is eenvoudig effect te sorteren zonder aanslag op de concentratie door de kleding enigszins te coördineren. Allemaal een zwart hoedje of een zonnebril op, of een laken om bij wijze van Griekse toga: dat kan iets toevoegen, mits er een relatie is met de tekst. Maar noodzakelijk is het niet. Zoek het vooral in afstemming op elkaar, zodat muziek, zang en beweging een organische eenheid vormen.

Leer zoveel mogelijk uit het hoofd

*W*ie kent er nog gedichten uit zijn hoofd? Wie ja zegt is zeker ouder dan vijfenveertig. We doen het gewoon niet meer: informatie in onze hoofden stampen. En wat kan er in dat verband nu zinlozer zijn dan de tekst leren van een lied dat eenmalig ten gehore wordt gebracht? Bovendien: wat is er eigenlijk zo erg aan een blaadje dat je in je hand houdt tijdens het zingen? Iedereen die wel eens op een feest zingt doet het toch zo?

Dat klopt. Zelfs op televisie, bijvoorbeeld bij de uitvoeringen van nummers uit de Top 2000 op oudejaarsavond, zie je dat zangers de teksten van liedjes niet meer uit hun hoofd willen leren. Hun ogen sluiten zich even vanwege het drama in de song, maar elke paar regels is er ook die snelle blik naar de auto-

146

cue. Dodelijk voor een gevoelvol optreden, en het getuigt ook nog eens van een abjecte luiheid – en dat bij mensen die meestal toch een aardige boterham verdienen met hun gezang.

Voor feestzangers hoeven we niet zo streng te zijn. Maar ook zij missen kansen als ze moeten leeszingen: de kans om hun collega, vriend of dochter aan te kijken, de kans om contact te leggen met de zaal. Om nog maar te zwijgen over het feit dat het er knullig uitziet, zo'n klam wit vel in de hand. Als er dan ook nog omgeslagen moet worden, met veel geritsel van papier, laat je wel heel duidelijk zien dat je je goed thuisvoelt in de onderste regionen van de middenmoot.

De oplossing is natuurlijk om de tekst uit je hoofd te leren. Met overtuiging zingen begint bij het kennen van de tekst. Zelfs een aarzelende tekstvastheid zoals die bij ons volkslied wel wordt gehoord, is al beter dan de tekst een keer overkijken en dan maar hopen dat het gaat als bij een atheïst in de kerk: steeds een fractie na de anderen inzetten.

Wie meezingt moet de tekst dus bij voorkeur van buiten kennen. Is dat toch te veel gevraagd (en daar hebben wij ook best begrip voor), dan mogen hulpmiddelen niet ontbreken. Maar kies dan dus niet voor die witte omslagblaadjes. Laat iedereen de tekst voor zich houden in een donkerblauwe multomap, zodat het er opeens uitziet alsof het Bachkoor zal gaan zingen. Of zet de tekst op een lessenaar, en zorg voor een lampje dat met veel aplomb wordt aangeknipt. Ook dat staat professioneel, en het wekt de verwachting dat er echt iets leuks gaat komen. Doe dit al tijdens de oefensessie, zodat iedereen er aan went, en het straks heel gewoon is.

De wet van de witte blaadjes

De wet van de witte blaadjes luidt als volgt: 'Als je een wit blaadje in je hand hebt, ga je erop staan kijken, al bestaat het refrein uit niet meer dan oheho.' Kortom: witte blaadjes zijn de Bermuda-driehoek van het feestlied: de zangers verdwijnen erin.

Oefen eerst alleen

*O*m de kans op memoriseren te vergroten moeten alle zangers vooraf de definitieve tekst toegestuurd krijgen. Daarbij hoort een link naar een internetadres (een YouTube-filmpje bijvoorbeeld) waar men de melodie van het basislied kan beluisteren. Nog beter is een mp3-tje van het uit te voeren lied, ingezongen door één of twee voortrekkers, of een filmpje waarop dat gebeurt. Op internet zijn ook daarvan voorbeelden te vinden, waarbij de webcam steeds op het gordijn of de oven gericht is. Kijkcijferhits zullen dat niet worden, maar dat is ook niet waar het om gaat. Als de zangers er maar wat aan hebben bij het thuis oefenen. Hoe dan ook: alle betrokkenen moeten zich het lied en de melodie op voorhand al behoorlijk eigen hebben gemaakt, zodat de oefensessie zelf een vliegende start kan nemen.

Dat in je eentje alvast instuderen kan overigens erg leuk zijn. Zing lekker mee met 'Het is een nacht' (alleen is de tekst dan 'Het is een nicht'), en je verbeeldt je al snel dat je niet alleen een betere tekstdichter bent, maar ook een begenadigder zanger. Elke dag een of twee keer doen en al snel begint het vreemd te klinken als je het origineel op de radio hoort – zo kan dat lied toch niet bedoeld zijn?

Oefen daarna samen

$\mathscr{N}$og belangrijker is het om samen te oefenen. Het is noodzakelijk om daartoe vooraf ten minste één keer als groepje bijeen te komen. Dat is ook bepaald geen straf. Geen pret zo leuk als voorpret, nietwaar? Maar het gaat er niet alleen om een datum te prikken, hoezeer dat op zichzelf al een tour de force kan zijn. De kunst is ook de oefensessie zodanig grondig voor te bereiden dat je er het maximale rendement uit haalt – zie het vorige punt.

Is men eenmaal verenigd om te repeteren, dan is het aan te bevelen de handigste en meest ervaren zanger de rol van repetitieleider toe te bedelen. Pak het aan zoals een echt koor het instuderen van een lied gewoonlijk aanpakt:

- eerst de melodie apart;
- daarna de melodie en de tekst samen;
- en ten slotte: de gehele act, met alles erop en eraan.

De melodie valt te oefenen door een aantal malen coupletten en refreinen te laten zingen met lalalala. Gaat dat eenmaal goed genoeg, oefen dan ook nog even – nog steeds met lalalala – op harder en zachter zingen, en omstebeurt. Aarzel niet om notoire valszingers een stukje alleen te laten zingen, totdat ook zij de toon te pakken hebben.

Vervolgens komt de tekst erbij. Bijvoorbeeld het hele lied achter elkaar en daarna refreinen en coupletten, stuk voor stuk. Enorm leerzaam is om op een gegeven moment een opname te maken en daar met z'n allen aandachtig naar te luisteren. Helaas, het resultaat valt in dit stadium altijd tegen: het is lelijk, vals, vreselijk ongelijk en dus nauwelijks verstaanbaar. Des te meer reden om er nog eens extra hard tegenaan te gaan. Prioriteit één daarbij is die verstaanbaarheid. Omdat ongelijk zingen daarvoor het meest fnuikend is, moet je apart oefenen op juist die stukjes waar de zangers steeds uit de pas gaan lopen. Dat is ronduit vervelend en leidt al snel tot gesputter, waarin gewoonlijk juist de grootste zondaars zich het hardst roeren. Dat moet dan maar. Wees streng. Put motivatie uit de dankbaarheid van het publiek die je straks ten deel zal vallen als men de tekst straks zomaar kan verstaan.

Het oefenen van de vooraf goed doordachte, zorgvuldig uitgestippelde voordracht is het sluitstuk van de repetitie. Neem alles mee: dus ook hoe de groep het podium gaat betreden, wat precies de opstelling is, hoe iedereen erbij gaat staan tijdens het introducerende praatje, en bijvoorbeeld ook op welke manier het enthousiaste applaus aan het eind in ontvangst zal worden genomen. Ook nu is het weer logisch om specifieke onderdelen die niet (meteen) goed lopen eruit te lichten en apart te oefenen. Een goed idee is om aan het eind een soort generale repetitie te organiseren. Velen zijn dat geoefen tegen die tijd al meer dan zat, maar je krijgt iedereen meteen weer scherp door voor die generale een buitenstaander (die de oefensessie niet heeft meegemaakt) op een afstandje te laten toekijken. Vraag hem of haar een onbevangen oordeel. En doe daar wat mee, desnoods door de hele act in een iets aangepaste uitvoering nog een keer te brengen. Zo erg is dat nu ook weer niet, want we hadden immers afgesproken dat het lied hooguit drie minuten zou duren.

De kwestie van de vakgenoten

Aanleiding: *Op een reünie van communicatiewetenschappers is een muzikaal intermezzo gepland, met feestliederen begeleid door keyboard.*

Thema: *Een dankbaar onderwerp is de publiceerdrang waar het gezelschap door geplaagd wordt; iedereen heeft een lange lijst met boeken en artikelen op zijn naam.*

Gevoel: *Zelfspot is geboden, want de zangers doen zelf ook driftig aan deze waanzin mee, en zijn eveneens geregeld te betrappen op het recyclen van oude onderzoeksbevindingen. De tekst moet dus een feest van herkenning worden.*

Melodie: In de brainstorm valt de zin 'blijf bij je oude onder-
zoeken'. Dan komt de associatie op met 'Stand By Your Man'
van Tammy Wynette. Voor het zingen is wel enig bereik nodig,
maar dat is voorradig, en het lied wordt meteen al lollig door de
country-and-western-sfeer. Een goede snik in de stem, en het
optreden kan niet meer stuk.

BLIJF BIJ JE LEEST

Ik keek laatst eens in mijn agenda
En zag daar niet tot mijn plezie-hie-hier
Over twee maanden
Zijn er drie congressen
En ik heb nog geen woord op papier

Maar gelukkig is het heel eenvoudig.
'k Ben niet van intellect gespe-he-heend
'k Maak een nieuwe lezing
Uit een oud artikel
Dat weer aan mijn proefschrift is ontleend

(refrein)
Blijf bij je leest
Niet steeds iets anders schrijven
Nee, je kunt beter blijven
Bij je oude onderzoeken
Blijf bij je leest
Er zijn al zoveel boeken
Het is nu heus wel mooi geweest
Blijf bij je leest

Ooit schreef ik over communicatie
Of die effectief zou zijn of nie-hie-hiet.
Daar heb ik nu nog
Dagelijks profijt van
Met veel artikelen in 't verschiet

'Communicatie in de kranten'
'Communicatie op het interne-he-het'
'k Sta op het programma
Van veel congressen
Net als de Kwekkeboomkroket

Blijf bij je leest...

Ook schrijf ik graag over de historie
Al is die voor ons vak maar ko-ho-hort
Maar de historie heeft als groot voordeel
Dat hij elk jaar weer wat langer wordt

Blijf bij je leest...

Gebruik beamer of flip-over, maar deel in godsnaam geen blaadjes uit

*H*oe goed je ook je best doet, het is altijd verstandig na te gaan of er nog wat extra kunstgrepen in stelling kunnen worden gebracht als straks, tijdens het optreden, de verstaanbaarheid zo af en toe toch wat zou tegenvallen.

Een beetje partycenter beschikt tegenwoordig over een beamer waarmee je computerbeelden op de muur kunt projecteren, en er is altijd wel een handige neef die de tekst van het lied even op Powerpoint-dia's kan zetten. Het lijkt ons niet nodig erbij te zeggen dat je niet de hele tekst op één dia moet zetten, zodat er veel te kleine letters verschijnen. De projectie moet regel voor regel plaatsvinden, in gelijke pas met de voordracht van het lied – dus à la karaoke. Het is van belang dit goed met die handige neef te oefenen; niets is erger dan een tekst die achterloopt bij het gezongene (behalve dan natuurlijk een tekst die vooruitloopt op het gezongene). Inderdaad: het is echt een klusje om je eigen karaokeversie te maken én die vooraf uit te proberen, maar die investering levert ook veel op. Het is in elk geval een technische mogelijkheid die tijdens de voorbereiding serieuze overweging verdient.

Maar je kunt ook een act met flip-over voorbereiden, ter bevordering van het begrip. Noteer bijvoorbeeld per couplet een paar steekwoorden op een groot vel. Gebruik die flip-overvellen als ruggensteun-tje voor de zangers en voor het publiek. Tijdens het optreden kun je na ieder couplet het vel met steek-woorden afscheuren en dit aan het bruidspaar over-handigen.

Heeft het lied een refrein dat de hele zaal mag meezingen? Maak dan van tevoren een spandoek met de tekst. Hou dat omhoog tijdens het refrein en laat het weer zakken als het volgende couplet aanbreekt.

Wat je echt nóóit moet doen, is de complete tekst vooraf kopiëren en die kopietjes in de zaal uitdelen voordat het lied begint. Dat gebeurt in de praktijk heel veel. Het is volstrekt dodelijk. Iedereen in het publiek staart alleen nog maar naar dat velletje pa-pier. Er is totaal geen contact meer tussen zangers en toegezongenen. En van die zorgvuldige opbouw naar een hoogtepunt komt helemaal niets terecht, want het publiek is al lang klaar met lezen wanneer de zan-gers nog niet eens op de helft van hun mooie lied zijn. Wij kunnen niet krachtig genoeg benadrukken dat het vooraf uitdelen van de tekst zo ongeveer alles ver-pest.

Onderhandel over het juiste moment

*V*eel feestelijkheden worden geleid door een strenge ceremoniemeester. Dat is natuurlijk de persoon om de performance tijdig bij aan te melden. Maar laat het daar niet bij. Doorpakken is geboden, anders loop je het risico om als eerste geprogrammeerd te staan terwijl jouw lied bij uitstek de uitsmijter moet zijn. Of men wil men het lied juist pas om half twaalf horen, wanneer iedereen al dronken is of naar huis wil.

Kortom: er moet onderhandeld worden over de juiste *time slot* voor het optreden. Informeer daarom naar de andere sketches, speeches en liedjes, en bespreek de praktische kanten van de volgorde die de ceremoniemeester in gedachten heeft. Als er drie contrabassen en een drumstel opgesteld moeten worden, is beginnen na een intermezzo wel zo handig. Maar kijk ook naar het tijdstip dat het best past bij de toon en sfeer van het lied. Iets liefs kan beter tussendoor dan als eerste of laatste act. Iets luidruchtigs kan juist goed als hoogtepunt. Wees niet bang om een lied dat de mensen op de banken zal krijgen ook als zodanig aan te prijzen – al ben je dan wel verplicht om het beloofde waar te maken.

Verken de ruimte

*W*ie een lied cadeau doet zit pas weer lekker als het optreden voorbij is. Dat is nu eenmaal zo. Ga dus niet zo op in het feestgedruis, met druk gebruik van alcohol, dat het optreden ook voor jezelf als een verrassing komt. Neem even de tijd om de ruimte te verkennen. Waar moeten de zangers staan? Is er inderdaad plaats voor de pasjes die zijn ingestudeerd, of valt er dan iemand van het podium? En waar zit de jubilaris of het bruidspaar? Is het wel mogelijk om hen direct toe te zingen en hun verheugde reactie te zien? En kunnen de gasten het allemaal ook wel zien, gegeven de sfeerverlichting in de tot feestzaal verbouwde boerderij?

Die zaken kun je natuurlijk vooraf bespreken met de ceremoniemeester. Maar het is aan te raden om ook zelf de ruimte te verkennen, als je eenmaal daar bent. We willen niet zeggen dat je nooit iemand moet vertrouwen, maar ceremoniemeesters hebben nu eenmaal veel aan hun hoofd. En niet iedereen heeft kijk op wat nodig is voor een geslaagde performance. Als fietser moet je ook nooit aan een automobilist vragen of de weg erg steil is. Die zegt altijd dat het werkelijk bijzonder meevalt.

Checklist vóór het optreden

Sta je daar eindelijk; is iedereen er klaar voor, blijkt de solozanger buiten te staan roken (of erger). Of het keyboard blijkt een losse versterker nodig te hebben. Of tante Aaf is haar verzameling stola's vergeten, terwijl die een sleutelfunctie in de act hadden. Of de beamer begeeft het nog voor de eerste tekstdia zichtbaar was met een zachte plof. Enfin, bij een groots optreden, kan het groots misgaan. En daar was het niet om begonnen. Kopieer daarom onderstaand lijstje en neem het op de avond zelf mee. Je zult de auteurs van dit boek dankbaar zijn.

✓ *Weet de ceremoniemeester dat je een lied doet? (Dit heb je natuurlijk al eerder aangekondigd, maar check nog even!)*
✓ *Zijn alle zangers aanwezig? (Houd ze dan bij elkaar!)*
✓ *Hoe laat sta je gepland? (Bij voorkeur niet te laat op de avond.)*
✓ *Weet je waar en hoe je gaat staan? (Probeer desnoods even uit of je echt met zijn zessen op die ene tafel past zonder eraf te vallen of erdoor te zakken!)*
✓ *Weten alle zangers ook hoe laat, hoe en waar? (Communicatie is de sleutel tot succes!)*
✓ *Heeft iedereen zijn attributen paraat? (Tante Aaf, je stola, oom Henk, je plaksnor!)*
✓ *Is de regie (gebaren danspasjes, etc.) nog even doorgenomen met de zangers?*
✓ *Indien nodig: werkt de beamer? (Twee keer testen! Het zijn onbetrouwbare rotdingen.)*

✓ *Indien nodig: is er een flip-over? (Minder high tech, maar doet het altijd!)*

✓ *Indien nodig: is het spandoek met het refrein goed te lezen? (Pas op met vlekken op je goeie goed als de verf nog niet droog is!)*

✓ *Heb je afgesproken wie het lied inleidt en is de inleider nog nuchter? (Als het goed is heb je dit al van tevoren afgesproken, maar houd hem of haar in de gaten en check!)*

✓ *Zijn eventuele instrumenten plus hun respectievelijke bespelers aanwezig en goed gestemd?*

✓ *Is afgesproken wie de inzet van het lied doet?*

Benut de niet te missen kans: het inleidende praatje

Gewoonlijk kondigt de ceremoniemeester het aan: 'We krijgen nu een stukje van de wandelgroep'. Net zo gebruikelijk is dat vervolgens één woordvoerder van de groep een inleidend praatje houdt. Anders dan bij het lied zelf is het zeer aan te bevelen bij dit praatje juist wél een microfoon te gebruiken, maar dit terzijde.

In theorie biedt het introducerende praatje grote kansen om in combinatie met het lied een *Gesamtkunstwerk* te vormen. De praktijk is vaak heel anders.Wij vermoeden dat in de meeste gevallen helemaal niet over de intro is nagedacht. Gevolg? De spreker wekt de indruk ook zelf verrast te zijn door die microfoon die hem of haar in de hand is gedrukt. Al improviserend wordt er wat gebrabbeld en gemompeld. En in hun zenuwen verklappen sommige sprekers van tevoren al de clou. Maar het belangrijkste probleem van een gebrekkige of ontbrekende voorbereiding is dat de inleidende praatjes veel te lang duren.

Spreek ruim van tevoren af wie de inleiding gaat verzorgen. Dat moet iemand zijn die geestig uit de hoek kan komen én die de tijd heeft om het praatje uit te werken, te oefenen en te controleren of het echt niet langer dan twee minuten duurt. Over de gewenste inhoud van het praatje is weinig algemeens te zeggen, behalve dan dat ermee bereikt moet worden dat het publiek aan het eind van het praatje dubbel zo nieuwsgierig uitziet naar het lied. Met andere woorden: het praatje moet een vraag opwerpen, alsmede de belofte dat het verrassende antwoord spoedig zal volgen.

Dus niet alleen maar: 'Hier komt ons lied'

De meeste feestliederen hebben als intro vooral veel gestommel en gegiechel, als een veel te groot gezelschap minutenlang bezig is zich tussen de toog en het buffet te wringen. Maar het kan ook anders:

> *'Beste Joke en Jan. Het is vandaag vrijdag de dertiende. Volgens bepaalde mensen een dag waarop het ongeluk je boven het hoofd hangt. Gelukkig hebben de vele mensen in deze zaal het risico genomen en zijn ze toch vandaag de deur uitgegaan. En jullie denken misschien: het is nu wel bewezen, vrijdag de dertiende betekent niets. Maar pas op! Je staat daar wel ontspannen met een wijntje in je hand, maar de dag is nog niet om! En de aanwezigheid van het voltallige hockeyteam van Joke is niet bepaald iets wat ons in dat opzicht geruststelt. Want hockey, Joke, dat is voor jou – veel meer nog dan vrijdag de dertiende – synoniem met ongeluk. Want Joke, wat jij de afgelopen vijf jaar bij ons aan blessures hebt laten zien, daar is een lied met veertien coupletten mee te vullen. En dat hebben we dan ook gedaan. Graag je aandacht voor een lied dat gezongen wordt op de wijs van een beroemd lied van Ramses Shaffy. Wij zingen voor je "Val, stoot, zwik, snij, kneus, bots en gewonder."'*

162

Bied nazorg aan

*D*e laatste noot heeft geklonken. Het applaus is in ontvangst genomen. En dan? Nazorg! Dat wordt vaak vergeten. Of om preciezer te zijn: vergeten wordt dat óók die nazorg reeds voor het feest terdege voorbereid moet zijn. Bedenk hierbij dat de feestvarkens weliswaar met nóg meer belangstelling dan de andere aanwezigen geluisterd en gekeken hebben, maar dat juist zij ook al heel veel andere dingen op zich afgevuurd hebben gekregen – meer dan een normaal mens kan behappen. Het gevolg is dat bij hen in eerste instantie slechts een vage indruk van je optreden blijft hangen, die vervolgens langzaam maar zeker verder verdampt, tot er (we zeggen het maar zoals het is) niets meer van overblijft, tenzij je adequate souvenirs in de aanbieding doet.

Denk dus vooraf na over wat je in stelling gaat brengen om het nagenieten te bevorderen. Het minste is wel dat de toegezongenen meteen na het slotakkoord de tekst van het lied krijgen. En dan niet op een beduimeld, tot kontzakformaat opgevouwen velletje, maar keurig geprint en enigszins duurzaam ingepakt – geplastificeerd bijvoorbeeld, of zelfs ingelijst. Dat vergroot de kans dat je tekst ergens een ereplaats krijgt, al is het maar op het prikbord in de wc of de keuken.

Een goed idee is ook om tijdens het optreden foto's te laten maken, en later – binnen enkele dagen! – een fraai geheel van tekst en foto's te produceren. Zo'n compleet fotoboek via de HEMA is wat overdreven, maar iets als een afdruk van de tekst op een collage van de aardigste prentjes zal beslist gewaardeerd worden. Is ook leuk voor de zangers zelf trouwens – typisch zo'n aandenken dat ergens in een doos verdwijnt, maar bij elke verhuizing of opruiming ineens weer tevoorschijn komt en dan voor mijmeren en glimlachen zorgt.

Overweeg verder om een filmpje te laten schieten, liefst door iemand die daar bedreven in is en er nog wat aan kan monteren teneinde het wat gelikter te maken. Op een cd zetten, grappig hoesje erom, succes verzekerd. Wij zijn in ons onderzoek zelfs op voorbeelden gestuit van groepjes die reeds tijdens de oefensessies – hoogst vermakelijke – beelden hadden geschoten van 'the making of'. Dat is des te aardiger voor de feestvarkens, omdat het oefenen zich geheel en al aan hun waarneming heeft onttrokken, maar wél alle aanleiding geeft tot brandende nieuwsgierigheid.

En YouTube dan, horen wij onze lezers vragen? Ja, er zijn inderdaad feestgangers die daar een filmpje van hun optreden uploaden. Sterker nog: dat doen jaarlijks honderden groepjes zangers van gelegenheidsliederen. In het kader van deze zelfhulpgids zijn wij al deze groepjes daarvoor zeer erkentelijk. Maar eerlijk is eerlijk, bij circa negentig procent van die filmpjes was onze eerste gedachte: wat bezielt mensen in vredesnaam om dit voor iedereen toegankelijk te maken? Als het om YouTube gaat zouden wij daarom willen zeggen: wees terughoudend! En laat je ook bij de afweging op dit punt leiden door de kwestie die bij liederen op bruiloften en partijen centraal staat – vanaf het allereerste idee tot het allerlaatste stukje nazorg: is het een cadeau?

Nog even recapituleren

Wat heb je nu geleerd, aan het eind van dit boek? Wij zetten aan het begin wel hoog in, maar maakten ons stiekem niet al te veel illusies: natuurlijk gaan onze lezers geen serieuze studie maken van de stof, hoezeer dat ook aan te raden zou zijn. Daarom geven wij tot slot de vijf ijzeren wetten waarmee elk feestlied met gemak op een hoger plan getild kan worden. Volg in elk geval deze vijf adviezen en succes zal je deel zijn:

1. Bedenk een punchline

Het schrijven van een goed feestlied begint bij het verzinnen van een regel die steeds terugkomt. De voordelen zijn groot: zo'n herhaalde punchline dwingt tot samenhang, amuseert de luisteraars doordat zij al snel in de gaten krijgen dat die regel er weer aan zit te komen, en maakt dat het lied jaren na dato nog voortleeft, dankzij die ene regel. Oervoorbeeld van een lied met punchline is 'Als ik het maar niet met Andries Knevel hoef te doen' van Brigitte Kaandorp.

2. Gebruik een rijmwoordenboek

Pak meteen na het bedenken van de punchline het rijmwoordenboek erbij, online (typ 'rijmwoordenboek') of in boekvorm. Er gaat een wereld voor je open! Zelf kom je altijd wel op de meest voor de hand liggende rijmsels. Maar vierlettergrepige rijmwoorden die precies passen bij het thema, die vind je alleen in het rijmwoordenboek.

3. Selecteer wie er gaan zingen

Nog een belangrijke succesfactor: voer het lied niet uit met een grote kudde mensen! Dat leidt onvermijdelijk tot gestommel, gegiechel en een onverstaanbare tekst. Laat de coupletten door een goedgebekte solozanger of -zangeres uitvoeren, zing het refrein met een paar mensen, en vraag op het laatst de hele zaal om mee te zingen. Zet collega's of zwagers die zich niet laten afschepen in als achtergrondkoortje, of doe aan beurtzang: afwisselend de mannen en de vrouwen.

4. Leer de tekst uit je hoofd

Witte blaadjes in de hand zijn taboe: de zangers kijken op noch om, maar staren gebiologeerd naar de tekst, zelfs als die alleen uit 'oheeho' bestaat. Leer de tekst dus uit je hoofd (gewoon door thuis een paar keer met een YouTube-filmpje of mp3tje mee te zingen). Als noodmaatregel mag de tekst wel op een muziekstandaard worden neergezet.

5. Oefen

Met een paar mensen samen een aardige uitvoering geven lukt alleen als je van tevoren een keer bij elkaar komt om te oefenen. Ja, we weten dat iedereen het druk heeft, maar het is gewoon een kwestie van prioriteren: dan kijk je maar een keer niet naar zo'n zangtalentenjacht. Zelf zingen is veel leuker.

Willem Koetsenruijter, Pauline Slot en
Rinke Berkenbosch zijn in het dagelijks leven weten-
schapper, romanschrijver en tekstschrijver.